那些你曾在意的，終將轉眼雲淡風輕，
如今我所在意的，也即將成為雲煙，
我不在意過去，不在意其他人怎麼看我，
倘若回應「關你屁事」，就真的只是……「關你屁事」。

——雪兒 Cher

Be yourself,
don't change for anyone
謝雪文（雪兒Cher）——文・攝影
WARNING
24H
VIDEO SURVEILLANCE
何必討好，
反正我也不喜歡你

何必討好，反正我也不喜歡你

小時候總告誡自己：千萬不要成爲討厭的大人們。什麼是討厭的大人們？就是自私，老擺著臭臉，總自以爲是高高在上的大人。什麼是喜歡的大人們？就是會帶我去雜貨店買零食，耐心聽你童言童語還不嫌吵的大哥哥大姊姊們。

所以，長大後，也要努力當個溫暖跟善良的大姊姊。要與人爲善，對人要有禮貌，見到長輩要問好，尊敬友愛師長，不要隨便頂撞長輩，朋友之間互信互愛，謙讓他人，不要急功近利，這樣才有好人緣。

談對象之前也想著：執子之手，與子偕老。要找一個對的人，不要輕易把感情放在錯的人身上，記住三千弱水，只取一瓢，愛上了就要一心一意爲對方好，彼此互相依賴照顧，互相成長成一對令人羨慕的恩愛鴛鴦。卻忘了兩個人，原本就是獨立的靈魂。

時光荏苒，白駒過隙，某天我發現變成了小時候最討厭的大人們，臉色超差，脾氣超硬，沒有耐心，看到幼齡兒童就直接閃得遠遠的，巴不得拒絕參加任何令人尷尬的親子聚會，也不想假裝有充滿愛心跟善解人意的公主個性。

面對老是指手畫腳的長輩們更是不想唯唯諾諾，忍氣吞聲。適當時候回應反擊，也好劃清某些界線。畢竟長輩年紀大了，自己也年紀大了，總不能老被當幼童對待，尊敬不應該只有年齡之分，也該論及是非對錯跟禮貌。晚輩不該只能裝聾作啞，啞巴吃黃蓮，有苦不能說。幾次懟回後，不喜歡我的長輩看到我後，也直接閃得遠遠的，心想：「眞的很好。」

感情也不再相信言情小說那一套。什麼山無陵，江水爲竭，冬雷震震，夏雨雪，天地合，乃敢與君絕！都是話本套路！故事男女主角情愛糾葛，跟我沒關係，跟你沒關係，看看即可，千萬不要入戲太深。合則來，不合則散，才是正常關係，哪有這麼多轟轟烈烈、分分合合、生死不離的現實劇情。人可以心動，可以動情，可以戀愛，可以找個伴侶，但生活還是需要動腦，不是只有戀愛腦。

於是，最終，我變成了鐵石心腸的中年機歪人。如果童話故事裡有角色，大概就是獨

居在森林裡的魔法老巫婆，穿著皺巴巴的連身黑袍，煮著綠色噁心的青蛙詭異湯，在小屋周邊旁設下天羅地網的魔法結界，只要有不明人士闖入，結界鈴鐺就會劈哩啪啦漫天響起，警示對方趕快離開，切勿逗留。倘若對方破了結界，沒有看入口處的告示牌說明，硬要闖森林小屋，魔法防禦系統就會自動啓動，一個轟天雷，直接讓誤入者措手不及，附帶一句：「滾，滾得遠遠的，滾到此生都不復見。」

森林外的城鎮居民，流傳各種巫婆的流言蜚語，各種難聽的話語都加諸在她身上，不好相處，人緣很差，自私自利，會吃小孩，拔手指，還會跟青蛙一起煮成湯。

眞心感覺，成爲二十一世紀的單身大齡女性，一點都沒有敗犬的悲摧感。不結婚又怎樣?!當一個能獨立生活，自省思考，自理外出旅行的巫婆太好了!!不必有麻煩鄰居，不用有討厭同事，不用想著白馬王子幾時會出現，面對他人的誤解，也不想辯駁。寧可當個獨善其身的假壞人，好過惺惺作態的假好人，我不去惹別人，別人也不要來惹我。

巫婆，自然有合適舒服的巫婆群，偶爾就坐著掃把去拜訪其他森林的巫婆們，聊著怎麼研製黑魔法，對付那些不請自來的惡鄰。

小時候，我希望是被王子跟父母疼愛的公主，長大後，變成了自立自強的巫婆，沒有人見人愛，不討好別人，討厭流言蜚語，只想跟同溫層混在一起，沒有過多正義感，卻喜歡這樣的自己。

期待這本書能告訴你：

爲何做人要學會反擊？丟掉溫良恭儉的標籤吧！

過了某個年紀之後，我可以沒有沒朋友，沒有伴侶，沒有掌聲，沒有人喜歡。但就是不能沒有自己，沒有比一直越界騷擾讓人更來得討厭。

雪兒 Cher

Contents

Chapter 2

原來我們都不夠了解自己

Chapter 3

立下界線，日子變得好過

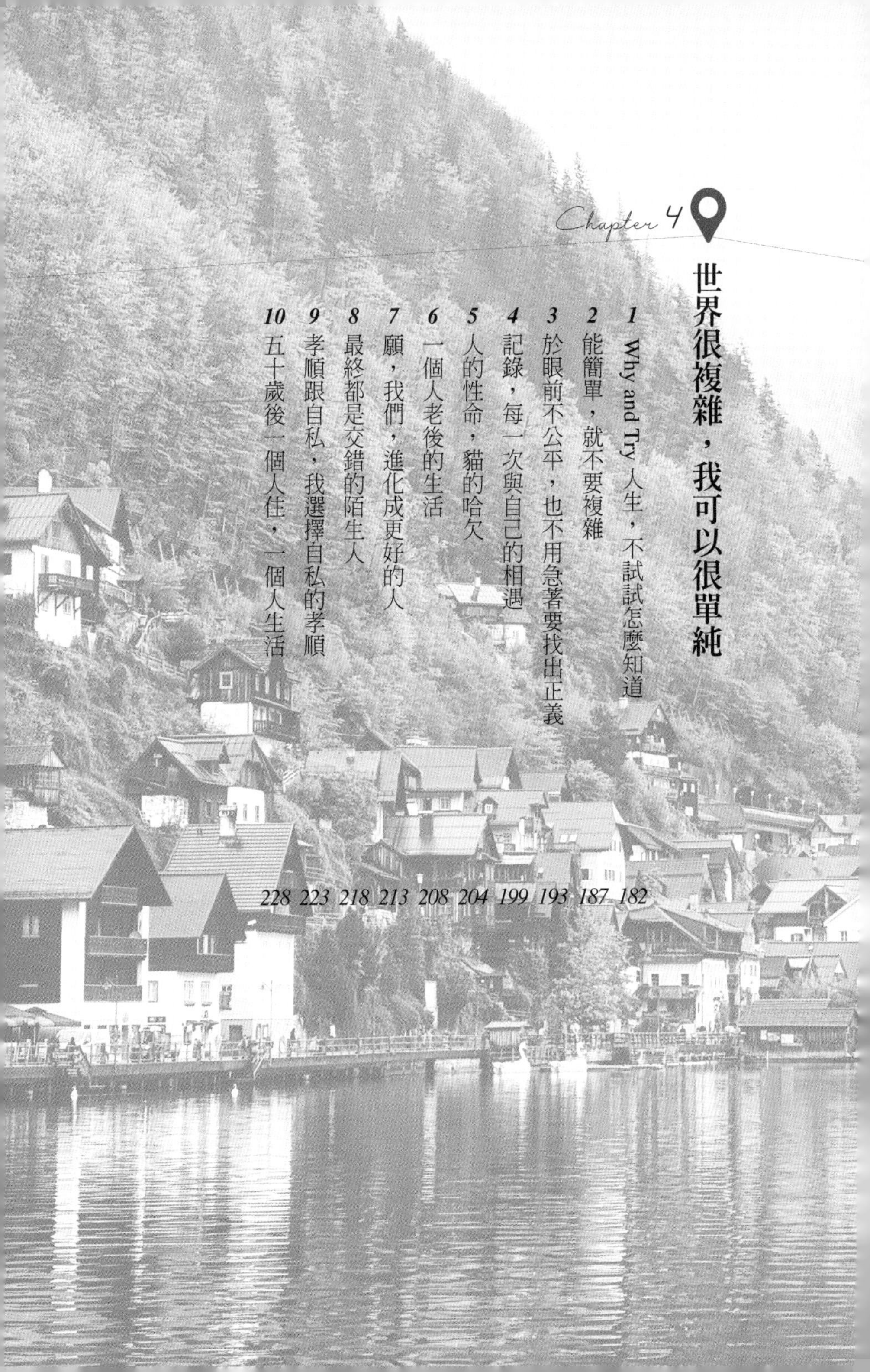

Chapter 4

世界很複雜，我可以很單純

自介

想讓別人了解你，就必須一再的自我介紹，卻不能只說居住在哪裡，總好像要報上職業、家庭跟興趣才算完整，多年之後才知道這是隱私。我身為一位文字創作者，寫作靈感皆來自於日常軌跡與生命歷程，不少人閱讀單篇文章後，都會自顧提出各種疑問，包括感情狀況跟生活軌跡，每每在如實回答後感到懊惱，為何私人的事，要跟陌生人交代。

自從成為作家、自媒體、半公眾人物後，常在思考，我與公眾視野的分界點到底在哪？每個讀者都可以透過閱讀文章、書籍作品來了解我，用他們個人的觀點來解釋我，分析我，甚至斷章取義的評斷我。而我能做的，只能一再地公開，用寫作、解釋、回覆。有些問題，他講第一句，我就能猜測接下來對方要問什麼，而我的回答也變得制式、無奈，跟千篇一律。

老實說，我挺討厭這樣的。

但我卻，找不到更好的方法。

這就好像購買商品之前要先閱讀產品說明書，作者也應該有作者說明書，不然讀者怎麼知道你爲啥要寫出這些文字呢？我爲何要買你的書？借位思考後，也感覺有道理，所以決定在書中序後來個自介，以便接下來閱讀時，讀者能接受幾個事實。

這作者文章有些偏激，是的。

這作者是女權主義，不是的。

你所有的感覺都是眞的，但投射在他人身上，不見得是對的。

關於我，作家這條路

謝雪文，一九八一年出生，出生桃園龍潭客庄，父母皆爲客家人，祖父母也是，但他們沒逼我也非要找個客家男子處對象。大學畢業後進入社會就業，做過全國性活動企劃，做過網路行銷，最後成爲系統專案管理ＰＭ。因爲工作關係，當過系統講師，跑過幾年的政府標案，曾在非營利組織裡工作，常一時半刻說不清楚自己的角色。

年輕時有遠大志向，沒想到沒多久就遇到金融風暴，以及人才西進大陸的年代。當時經濟景氣低落，百業蕭條，薪資凍漲，很多人都被迫裁員，年輕人大學畢業則只有22Ｋ的薪資。同年齡的上班族普遍戶頭都沒錢，沒夢想跟沒希望，唯一的出路就是考公務員，不然就找個長期飯票，嫁人待在家裡相夫教子。

當時社會聲浪充滿各種絕望，「鬼島」是當時新世代的用語，於是我有了壯遊的念想，既然嫁不出去，那就走出去，出外看看世界也比攪和在一群爛稀泥中好。

二十九歲寫了辭職信：「世界這麼大，我想看他一眼」，三十歲交給老闆，還鬧了一場人盡皆知的家庭革命；三十一歲提著三十公斤的行李奔赴紐西蘭，脫下高跟鞋跟套裝，到國外打工度假四百天，體驗異國窮遊跟背包壯遊。這場旅行徹底翻轉我井底之蛙的世界，歸國後因爲太想分享這段神奇的經歷，於是將心路歷程寫在旅遊論壇跟部落格網站中，有了出書、成爲作家的契機。之後巡迴演講、上廣播、各種媒體宣傳，慢慢在旅遊圈有了名氣。曾經我也只想當個邊工作邊旅行的上班族，上班打卡，下班寫書，有假期就出國放飛自我，也想找個人作伴，一起旅行，一起生活，沒想到意外還是發生了。

我的同事自殺了，身爲部門主管的我，在簽署他的離職信後沒多久，就從電話裡聽見這樣的噩耗。

這件事情造成我極大的陰影，宛若萬里無雲的晴空中突然劃過一道閃電，瞬間烏雲壟罩著頭頂，片刻傾盆大雨淋濕全身，我站在原地一動也不動，眼眶染濕了衣襟，眼底盡是愧疚、不捨，跟自責。嘴裡總念叨著：「如果早一點發現，他就不會幹傻事了。」

三十四歲我又寫了辭職信：「世界這麼大，我想再看他一眼」，接下來的旅途，不是找自己，而是找救贖，我需要再一次放飛世界，從浩瀚的宇宙中，再找回那雙愛笑的眼睛。我把這段經歷寫了一本書《自己，才是旅程的終點》，就沒有再回職場，一直過著自由旅人的生活。

關於我，成名的代價，另類地獄

從人生谷底爬起來，需要多大的勇氣？很大，很大，非常大。透過網路寫作，告訴萬千讀者「相信我可以，你也可以。」分享的立意是良善的，卻讓人深深陷入「成名」的代價。

數十年前台灣興起壯遊風潮，順應臉書、部落格、IG等網路社群的發達，也讓我從上班族素人變成一個小有知名度的「網路紅人」，當時不少酸民跟黑粉以針對性謾罵我，時常夾雜各種粗鄙文字，容貌攻擊，以及思想批判。當時心想，到底是招誰惹誰，這群鍵盤俠們，你認識我嗎？你了解我嗎？為什麼要緊追不捨的抹黑我？好幾次想把社群關閉，做回平凡的上班素人，不再活在網路語言暴力中。

回頭想想，又憤恨這些酸民雜魚憑什麼？

身爲專欄媒體，公開具名寫的文章，卻引來一堆匿名髒水往我身上潑。我從未針對誰，憑什麼這些人就可以選擇對號入座，接著把怒氣撒野在作者頭上。憑什麼我就必須要閉嘴、道歉、退出？憑什麼我必須活在這群人的陰影面下？

而我跟這些人最大的不同就是：站在陽光下。眞正一篇好文章，好觀點，不需要得到所有人的贊同，而是，懂妳的人會留下，不懂的人，他始終都不會願意懂，爲了反對而反對，憤怒也成爲了寫作靈感，因爲不想被人誤解，就必須學會自省自辯，文字不針對特定人事辯解，卻在不斷的寫作中更了解自己是什麼樣的個性，用不同的角度面對問題，得到不同看法與觀點。

當然，被潑髒水，情緒還是會莫名低落。即使身邊的人老是告訴你，不要在意，忽略就好，但你就會覺得一顆老鼠屎壞了一鍋粥，一股氣卡在胸口，過不去。多年後，一定年紀，我才明白，負面能量會隨著時間消散，你記住它，它就像惡靈纏繞，揮之不去，你排解它，忽視它，就消失無蹤影。

關於我，四十，不惑了嗎？

二十歲沒沒無聞，三十歲壯遊成名，四十歲的我，反思來時路，逐漸慢慢理出一些屬於40＋的中年哲學，既然站在某一個位置，無法避免被人討厭，以及無端的被指指點點，那麼就開始學習怎麼立下界線，讓不喜歡我的人明白一點：「對！我也不喜歡你們。」

歲月跟經歷告訴我：某些人，你是可以不用在乎，某些刺耳的話語，可以跳過，當作沒聽見，某些看不慣的話題，你是可以隱藏，或是封鎖。不過，面對一再挑釁或是沒有禮貌的人，不要再幫對方找藉口，適當反擊，適時封鎖，才能眞正趨吉避凶。

我是誰？成長的路上，我們都在尋找自我定位。

你是誰？抽絲剝繭後，你要活出自己的特色。

這本書希望給身陷各種討厭、情緒勒索的人另外一種出口。勇敢地拒絕，非同溫層地的人滾遠一點，如果別人不滾，那就學會瀟灑轉身，關閉閘口，遠遠把他們甩在八千里之外。

Chapter 1
為什麼被討厭，為什麼被喜歡？
南美洲 祕魯 / 彩虹山

覺得自己越來越自我，也不知道是好是壞？

年過四十歲還單身這件事，外人看不透，自個也不明白，爲啥日子過著就到這個份上，孤身一個人，不想被愛，也不想愛誰，只想低調爲著自己而活。不想轟轟烈烈，也不願意將就與遷就，偶爾夜深人靜也會自問自答：「這樣下去眞的好嗎？」啜飲一口酒，轉念，人生沒有哪條路是必須該走的，好不好，自己決定就好。

四十歲後，人性自私是必然的，因爲經歷太多，期待太多，失去太多，失望也多，剩下的驕傲，往往也落入沒有人鼓掌的階段。

曾經，我也是迷失在衆人聚光燈下，哪裡閃亮就朝哪裡去，哪裡有掌聲就停留在那個舞台，爲了能在台上發光發熱，落入了「自我覺察型人格」，什麼叫作自我覺察型？簡單來說就是習慣性自我檢討，自我反省，跟自我否定。

「年紀輕輕去那麼多國家旅行，不是靠家人，不然就是靠賣弄風騷，不然她哪來的錢四處遊玩。」

「年紀都這麼大，身材也不好，還敢拍出來丟人現眼，她媽一定沒教好。」

「身爲作家還一堆錯字，眞的很不知羞恥。」

「這個作者寫的文章眞的爛透了，慫恿別人離職去旅行都不用負責嗎？」

「她眞的很說不得，隨意開個玩笑也不行，嚴重玻璃心，還當什麼網紅。」

「她寫的文字就很一般，沒啥素養，憑什麼可以出書，比她旅行厲害的人可多著。」

「問個問題，不回答就算了，跩個二五八萬，旅遊達人有什麼了不起？」

每次收到負面評論，內心就像被扎了一根針，很痛，會淌血，會急忙拿著針縫縫補補，讓旁人看不出受傷，假裝沒事的下場就是，內耗極度嚴重，也會想：走上旅遊自媒體這條路，爲何就必須接受言語汙衊跟無端人身攻擊，是不是眞的，我做錯什麼？

自省人格的生活痛苦指數，會隨著外界眼光評判不斷攀高，並不會因爲別人掌聲而停止或舒緩，反而會刻意忽略眞心對你好的聲音，放大批判者的聲音，關上支持者的加油鼓掌，變得畏畏縮縮跟舉棋不定。

而獨自旅行則幫助「自我覺察型人格」脫離原本的框架，用不同角度去看待原來的困惑，畢竟一個人在長途飛行時，在等待公車時，在公園發呆時，手機連不到網路，切斷所有聲音後，有大把時間找出自我懷疑的因子，去探究爲何總是鑽牛角尖。

每個人的家庭成長背景不同，長久以來，成績普通的我在求學過程中過得不甚順心，聯考是吊車尾上了大學，認清不是考試的料，果斷放棄繼續考研究所這條路。信心不足的我，畢業後四處求職受挫，緊繃的家庭關係無法緩解初入社會的壓力，拚命想要逃離，卻又渴望被看見，被疼愛。以爲只要夠努力就會有回報，總是先付出，先討好，最後卻依賴著別人的認可，活在痛苦的深淵中。

曾經幻想著結婚後，就會擁有自己的家庭，自主的人生，以三十歲之前把自己嫁掉爲人生目標，沒想到談了四年失敗的戀愛，當你的世界只圍繞另外一個人轉時，當對方不要繼續時，青春就像空轉的陀螺，白白浪費。

直到出一趟遠門，才發現順著別人的眼光，你只能找到別人喜歡的模樣，沒有自

非洲 納米比亞 / 斯皮茨科普

己的想法。年輕時，應該去多看看各種形形色色的人生，當活在世上的樣本越多，才會明白接下來自己想要怎樣的生活。

這也是為什麼，我喜歡一個人去旅行的原因。不是孤僻，也不是寂寞，而是在觀察思想情緒的變化，與世界外在環境的連結，為何在意？何來痛苦？我認為，人終其一生都是各種混亂跟解不完的謎團，在獲得跟失去之間來回，人應該做的不是假裝沒事，或是強烈的攻擊反對意見，為反對而反對。重點應擺在處理負面關係時，如何做到坦誠以對。

身為「自我覺察型人格」的我，先是經歷三十歲前對未來絕望的低潮，後來轉職成為網路自媒體，遭受網路酸民任意評論的低潮，逐漸也學會自我保護。

過去，貶低自己，在意外界負面聲音沒有錯，那是因為，我希望得到更多的肯定，想讓自己變得更好，這不是在自找麻煩，而是人生「努力的過程」。

後來，學會反擊，將感覺惡意的人驅逐，不是想要過得「自私」，也不是想活得「無私」，而是希望為人生接下來做最適當的決定，不再畏懼他人的眼光。

接受現狀，才能改變命運。

現狀大多是殘酷的，尤其是無法選擇的狀況下，包括原生家庭、感情跟事業，還有銀行帳戶裡面的數字，然而這都只是生命歷程某一時期的狀態，無法代表一生皆是如此。

未來大多是飄渺的，尤其是五年十年後會發生什麼，所以我想自私一點活。不追求掌聲，也不爭一席之地，不期待一輩子友誼，不認為非要執子之手才能白頭到老，不認為家庭幸福人生才會美滿。對我來說，與其追求別人帶來幸福，不如雙手去爭取，能掌握在雙手的能力，才是真的幸福。

人，能活到一定年紀，單純簡單就是好事。我還沒有辦法做到無欲無求，無情無愛，能覺察自己喜歡什麼，討厭什麼，有能力追求喜歡，也有能力反擊討厭，自私活著，萬幸。

倘若現在有人評價我很自私，我會回「關你屁事」。

可以被討厭，但不能被欺負

厭女，泛指社會上對於女性偏見所產生出來的憎恨與厭惡情緒，尤其在網路社群裡，隨處可見針對女性身材、長相、年紀以及職業的各種敵意與暴力留言，彷彿生爲女性，只要不符合厭女者的審美標準，就是錯誤。

公開網路，什麼樣的人都有，寫作過程中，不時也會收到厭女者留言，酸的、差的、沒水準的，不少表面是關心你，實際上都是嘲諷跟吃豆腐，各種假設性問題讓你掉進陷阱理。

「你這肥胖又嫁不出去的醜女人，眞是女人恥辱。」

「女生穿成這樣露，丟不丟臉，不騷擾你，騷擾誰。」

「一個女生到國外旅行不危險嗎？不擔心被強姦嗎？你爸媽眞有勇氣。」

「旅途中遇到壞人要你的身體怎麼辦？不怕一萬，就怕萬一。」

2

「長成這樣，個性又差，難怪沒有人要，單身活該。」

雖然不知道留言者抱持什麼心態，但光看字面，就讓人極度不爽快。剛開始還會在想他應該跑錯區域，選擇忽視或裝做沒看到，不需要理會，當類似的留言一而再，再而三地出現，容易讓人瞬間理智線斷裂，內心崩潰憤怒嘶吼，有完沒完，爲什麼這些人都不去死！

仔細發現，某些網路留言帳號雖然不同，但好似都出自同一人之手，我便猜測是否被同一個厭女者盯上，這類人像是跟蹤狂，無時無刻關注你在網路社群上的一舉一動，不時留下負面情緒文字，讓人感到壓迫與不舒服。心想，到底是寫了什麼文字觸碰到厭女者的逆鱗，讓他願意花這麼多時間，一而再，再而三，各種刻意找碴。

我，公開網路寫作約莫十年，文章主題皆環繞著兩性，自由工作，自助旅遊等議題，常鼓勵讀者勇於踏出舒適圈，走上旅途尋找不同人生意義。往往會有人解讀我在宣揚單身不婚，事實上並沒有，我認爲，沒有結婚、單身、沒有小孩，也是一種生活選擇，選擇中年離職，也必須承擔其背後的不確定。

生於八零年代，共同成長的朋友絕多數擁有穩定工作、追求家庭生活，而我在追求夢想過程，捨棄了社會舊有的價值觀，為什麼想寫作？想闡述這一輩，像我這種「看似邊緣」、「其實也沒有多邊緣」的異類，有自己的主見，也聽不入旁人的高見，到底對於未來有什麼想法。

一、不執著同一份職業做到老，做到死

與其在某間公司庸庸碌碌領著死薪水到退休那一天，不如想個法子讓自己不陷入職場跟生活的困境，既然職場努力好幾年都原地踏步，沒有熱情跟火花，注定是死胡同，不如奮力一搏轉個彎，如果一個彎轉不出去、那就轉多幾個，只要確保在轉彎的過程中，不要被餓死就可以。

二、錢，自己賺、自己花，理不理財，我說了算

與其一直叫窮，不如好好善用荷包裡面的每一分錢，不要買了一堆理財書，買了

一堆網路課程，整顆心在股市跟金融市場上上下下，到最後也是一場空。過了某個年紀，與其汲汲營營致富，不如傻乎乎「致腹」，追求戶頭上數字外，明白吃飽喝足才是實際。

三、口袋有錢，真的很重要

錢能買到的快樂，是實際的。錢買不到的快樂，是奢望的。人出了社會，能把賺來的錢花在自己身上，就是件快樂的事；賺足夠的錢，學會尊重每個人的金錢價值，不要羨慕嫉妒恨，不是你的，就不會是你的。

四、做自己喜歡的，有何不可

有人喜歡時尚精品，就將錢都花在名牌精品上，有人喜歡手作工藝，就認眞編織跟創作。而我熱愛旅行，就把錢都花在出國上面，我喜歡寫作，就花大把時間在寫作，

亞洲 越南/會安古鎮

做你喜歡的，不要去質疑別人喜歡的，每個人喜好都不一樣，只要不偷不搶不犯法，都値得被尊重。

五、可以被討厭，但不能被欺負

成長的路上，被討厭，是理所當然的，當你擋了別人的道路，讓人不順眼，就可能被栽贓嫁禍，即使你認爲自己什麼都沒做。既然無法避免被討厭，那就要學會反擊，在別人準備打你一巴掌時，懂得閃躲，不能隨便讓人爬到你頭上作威作福，站在你地盤上撒尿。

六、不想委屈，就別委屈

某了過一定年紀，就別想去找誰來挺你！自己能解決處理，就不用麻煩他人，因爲涉及到人，就會複雜，涉及到利益，就會麻煩，一處理不好，就會委屈。情緒一上頭，我會自己先處理。眞的無法，我會冷靜，然後再處理。前提是，不要讓自己吞下委屈。

七、一個人單身到死也沒關係

當我把自己過好，那麼不管是一個人、兩個人、一家人都沒問題，倘若硬要我去配合兩個人、一家人、其他不相干的人，那肯定日子過不太好。既然有一個人學到老、活到老的勇氣，就不怕別人看不起。

現在，面對只能拿年紀、外表來攻擊別人的厭女言論者，我也不閃躲，也不會逼自己接受，霸氣回應反擊，倘若對方仍無賴死纏，直接封鎖就好。來十個，封鎖十個，來百個，封鎖百個，道不同不相爲謀，路不同也不用硬擠在同一條路上，路上垃圾要分類回收，接下來的人生才會舒暢快樂。

倘若現在有人評價活得偏頗，我會回「請管好自己，我怎麼想，跟你沒關係」。

不再討好，才能真正實現自由

生命中的人事物都會隨著時間逐漸消失，年紀是、粉絲是、成就是、朋友是、家人是，金錢也是，只有不想遺忘的記憶會保留。但有天記憶也可能會因爲腦功能退化慢慢淡忘，說忘了，可能就忘了，才會發現人在走到盡頭的那一刻鐘，啥也留不住。

我在中年辭職後，選擇當個獨行旅者，一年三百六十五天，絕大部分的時間都在世界四處背包旅行，習慣了一個人，面對一堆陌生人，有些人緣分淺薄，只能吃一頓飯，有些人同行幾日，便感到難分難捨，遇見的人不論再好再壞，都要面對分離。越走越遠的我，逐漸習慣孤單，沒人跟我說話，面對同行的陌生旅人，逐漸也無話可說，越發活得寡欲跟淡然。

不是沒有欲望，是失去的太多，不知道該怎麼找回來。畢竟過了這個村，就沒那個店，曾以爲感情留得住的，到最後什麼都是空，既然都是一場空，那麼對於自己無

3

法掌控的，就不應該奢求太多。

以前，留了一個電話號碼，就日日夜夜守在電話等它鈴響，

以前，留了一組家裡地址，就盼著信箱中能收到他的來信，

以前，相信什麼命中注定，姻緣天定，現在，明白，皆是人，自作多情。

歲月會洗禮不同的人事物，進入你的生命，也會在不同階段，讓你醒悟，不是每段關係都要天長地久，重要是不再被情緒勒索。

過去，曾經很重視的朋友，最終為了短暫的利益，在你背後捅你一刀。

過去，如膠似漆的閨中密友，也可能各組家庭後，選擇各自安好，不再聯繫。

過去，一鼻孔出氣的同事，離職後也成陌路人，沒有任何交集。

我認為，人生最傻，就是花費大量的時間跟精神去拯救別人，我失戀了，陪陪我好嗎？我創業失敗了，借錢幫我度過難關好嗎？我想出國去念書，你陪我一起去好嗎？都不忖量自己的時間跟能力，揮霍自以為是的善良，還沾沾自喜。

明明就是一個清閒旁人，硬是公親變事主，惹到對方反過來指責你多管閒事，將事後錯誤歸咎在你身上，不自覺讓你陷入內疚情緒中，明明被辜負的是自己，最後還

亞洲 泰國 / 清邁

要跟他道歉，妥妥的工具人，要你幫忙陪伴時楚楚可憐，不需要時直接一腳踢開。

在友情、感情、職場中，當你對負能量的人伸出援手，容易為自己招惹禍端，導致被人誤解，陷入無法自辯的困境，最後可能導致家庭失和，朋友反目，自己莫名潦倒神傷。

不要隨便為了義氣兩個字，幫了不該幫的人，不要為了路過可憐的人，把你全身的錢財都給了他，不要覺得你在幫別人，有時候幫人，也是在害人；揮霍了你的善良，助長了別人的惡念。

我在人際關係跌倒過幾次，明白，人，請專注把目標放在自己身上，不要虛耗能力去餵養那些像水蛭的人，讓他們吸乾你的血，吃光你的肉，還不懂得感謝。

「是的，我不能失去自己。」

有這個念想之後，就越發喜歡一個人去旅行，旅途中，我總裝出一副不好惹的臭臉，的確就避免很多奇怪的騷擾發生。後來，也融入在生活裡，也能感受到日子越發舒坦許多。

當我把獨旅的臭臉哲學拿來應用在社群經營與人際關係中，發現，當你願意直接面對討厭的人事物時，再討厭的人事物，實際上也沒這麼煩惱，當下「排除」它就好。

以前面對別人請求時，會同理自己倘若遇到同款問題該怎麼辦，於是掏心掏肺回答，還去搜尋網站幫對方尋找答案。後來心想：「爲啥是我在幫你找資料做功課。」結果對方一句謝謝都沒有，還說你回答態度不好，反而招惹到一個黑粉。現在，我會直接就回：

「不喜歡我，你就走吧！這輩子我也不會喜歡你。」

「覺得我有問題，你先考慮一下是不是你的問題，畢竟我都不認識你，你有臉來留言批評，我都替你感到悲哀。有時間管別人，那你怎麼不好好管你自己。」

「你覺得我不好惹，怎麼不想想你幹嘛沒事去惹別人。」

「你覺得我態度有問題，你怎麼不檢討自己在哪裡嫌別人。」

「你覺得臉書推給你文章不喜歡，拜託你直接封鎖，不用來留言問我爲什麼臉書推給你。」

「你覺得我用字遣詞有問題，我又不是寫給你看，請不要對號入座。」

最怕，很多事情，把心思放在模糊地帶，才會陷入兩難的困境。

討厭你的人，不會因為你一句話就喜歡上你，
喜歡你的人，可能誤信流言久了也討厭你，
與其在意別人的喜歡與討厭，不再討好，才能真正實現自由。

倘若現在有人因爲一篇文章或一句話討厭我，我會回「我也不喜歡你」。

4 一定年紀後，我們都寂寞

進入社會大染缸之後，越發感到時間不夠用，一邊要努力工作，從頭學習職場的生存本領，一邊要拓展人脈，跟同事四處交際應酬，一邊又要維持同學情誼，說好畢業之後都不要斷了聯繫，一邊又要幫未來做打算，找一個合適的對象奔赴婚姻，找就業的第二專長，以免被資遣之後找不到退路。在二十歲到三十歲這段期間，好像整個人就在混亂的泥灘裡打滾，想找條繩子往上拉，卻發現雙手雙腳越陷越深。

過了三十歲，職稱的抬頭換了幾輪，從助理做到經理，當名片上的職位抬頭越大，肩膀上包袱也越來越多，無止盡的加班，無止境的想離職，直到有天受不了，終於把離職單交出去，卻發現生活除了同事外，身邊沒幾個能談心的朋友。

到了四十歲，很少人會主動約聚會，沒時間聯繫的，漸漸也沒有任何交集，那些曾經促膝長談到深夜的朋友們，最後只剩下一個飯點，吃完飯，結完帳，互道晚安後約好下次見，心底也知道，下次，也許一年，也許三年，也許沒有下一次，隨著年紀，我們都要放下對人的執著。

趁著有次回國的空檔，我約著朋友吃火鍋，每個人都知道我在國外旅行時，最懷念就是台灣的麻辣火鍋。席間朋友說她九月去了韓國、日本跟泰國三趟，我訝異說：「怎麼沒看你臉書發任何動態？」她笑說，這年紀出門不想搞到人盡皆知，怕過度的人情負擔。

因為，只要在臉書動態提到要去日本，住在遠方的阿姨就會來情緒勒索，吩咐她去日本就要去阿姨家住、去吃飯，完全搞不懂日本是個比台灣還大的國家。與其如此，就默默地去，默默地享受，一個人玩得自在也開心。

另外一個朋友說，上個月跟朋友提要去日本大阪，沒想到大學同學直接買了機票想飛過來會合，還約她跟不認識的朋友一起吃頓飯。她不想解釋太多，直接回：「不想花時間跟你去見你的朋友。」跟原本認識的朋友吃飯可以，但是多了一個不認識的人就不可以。

以前，去哪裡都會呼朋引伴，巴不得一群人約去吃飯，約去唱歌，約去旅行，約去冒險。喜歡在網路社群媒體中發表動態，景點打卡，上傳吃喝玩樂的照片，期望全世界的人都知道你在幹嘛，做了什麼，吃了什麼豪華料理，去了哪個地方冒險，買了便宜的機票，在公司受了委屈，看了哪幾場演唱會。

後來，一個人吃飯，一個人出門，發現一群人能做的，一個人也可以做到。逐漸不再發表動態，不再上傳照片，不再想炫耀去過哪裡，旅行中突發那些意外也不想第一時間發文，就怕承受不住太多人的關心，還要一一解釋來龍去脈，處理七嘴八舌的建議，都比解決問題還來得煩心。

曾經，一起笑，一起哭，說好一輩子都不離開的那些人，一個一個進入婚姻，一個一個離開，以前，天天都黏著彼此，過了幾年，人也散得無影無蹤，不再相聚。

世上最複雜的關係就是人，除了大多數父母是無所求的對待孩子眞心好，其他人都是因爲某些原因而相聚相知相離，有人會突然疏離，有人性情大變，以前都會多問一句：「最近還好嗎？」現在，就怕問完，空氣一陣寧靜，或是一連串停不下來抱怨。不如不問，省事也省心。

現在我不喜歡欠人情，也不想被虧欠，沒有心思去結交更多新朋友，也沒有多餘力氣去維繫舊感情，怕付出太多後，對方一個轉身，最後我還是一個人寂寞，不如好好學會適應孤獨。

沒有人能眞正陪你一輩子，只有我在這裡，你在這裡，兩個人願意花時間陪對方作伴。

陪伴，一直是雙向的，然而，每個人的時間跟嚮往都是單向的，有些人往左，有些人往右，有些人停滯，有些人走很快，可以停留一時，但無法一直等待另外一個人追上來，最終，不是一個人痛苦，而是兩個人寂寞。

幾年前我離開職場，失去了熱愛八卦的同事們；也離開家四處遠行，失去了長久相依的親情，因爲各國時差關係，也無法跟身邊朋友時常聯繫。這十年，我沒有相伴的親人，相依的朋友，越發明白，離開某一個環境，就也要認清不再是原來的那個人，不要隨便關心上一份工作，上一任情人，還有上一個刪了你的朋友。

離開原本工作圈後，處成一個人的生活圈時，誰結婚，誰失戀，誰換工作，都與我無關。路上遇到的新緣分，會點頭，會聊天，不會刻意留下任何聯繫方式，相遇在哪，就把緣分也留在那。

歐洲 塞爾維亞 / 貝爾格勒

有讀者羨慕我一直周遊世界，卻不見得明白獨自旅行的孤獨感，曾經我也是想要有人陪伴，但隨著時間，學習，自我陪伴後，明白眞正的朋友不用多，幾個知心的就可以，閒話家常，沒一頓飯解決不了的煩惱。

一定年紀後，我們，都寂寞。

只是，也懂，這種寂寞，剛剛好，就好了。

倘若現在有人恐嚇我會孤獨終老，我會回「謝謝祝福」。

邊界感重的人並非人緣很差

人生路上彷彿就像一輛公車，不斷有人上車，也有人下車，即使整輛公車上，最後只剩下自己，司機也會把你載到終點。所以任何人的離開，都不需要糾結在意，不適合的人，他會提早下車，有共同目標的人，他會請求你是否可以同行，選擇權在你，不在別人身上。

沒有人可以相伴一輩子，絕大數都是短暫相依，只是人們總是渴望陪伴，有人說說話，分享路上的風景，也要承受各種情緒的牽絆。經歷風霜四十載，我想，是時候把對他人的依賴，轉換在自己身上，當一個「邊界感」強的人。

什麼是「邊界感」？就是與其他人保持適當距離，清楚表達自己的原則與底線，拒絕讓自己覺得不舒服的話題，每個人都是獨立個體，應該彼此互相尊重，相熟而不逾矩。

5

歐洲 奧地利 / 聖沃夫岡

「邊界感」重的人，不隨意打探他人隱私，不問別人感情狀態，也不隨便賣弄知識與精力，不需要花很多時間去社交。

「邊界感」重的人，日常能處理瑣碎生活雜事，遇到問題也不太依賴別人幫忙，對伸手求援的人也不會輕易幫助，所以不會有肝膽相照，兩肋插刀的朋友。往往生病，沒有人會飛來照顧。寂寞，不會有人陪你聊天。失戀，自己擦乾眼淚。挫折，也不會輕易跟別人抱怨。

「邊界感」重的人，常常被人誤認冷漠，事實上他們並非人緣差，只是慢熱，在日漸相處熟絡後，也會交到幾個知心朋友，對待人都有禮貌而不失分寸，熱心並樂於分享，只是對待陌生朋友不夠積極主動。

過去，我是個「邊界感」薄弱的人，一開口就問對方的感情跟工作狀況，也會把家人狀況一五一十跟人分享，主打就是你跟我說，我也跟你說，兩人都沒祕密，但不曾想，兩人才也第一次見面。常以自身的狀況去同理他人，認定別人窮，別人痛，別人需要幫助，看到路邊的乞丐，會直接掏荷包裡的錢都給他，只是成就自以爲是的良善，沒曾想過乞丐也可能不需要你的施捨。

過去，我也認爲只要對別人好，別人也會待我好，旅途中才沒認識幾天，有人喊我姐姐，我就把對方當妹妹，相處一段時間後，這個半路突然出來的妹妹開始向我借錢，介紹我買商品，不時還情緒勒索怪罪於我。我還傻傻替對方設身處地思考，檢討反省自己到底做錯什麼。

曾經我希望每一次付出都應該得到合理的對待，付出十分，至少對方要回饋五分，只要心意被虧待後，情緒就會陷入萬劫不復的狀態。現在，我慶幸，在經歷數百次離別後，明白沒有任何陪伴是必要的條件，重點，是合適的人才有陪伴的必要。

那如何抓「邊界感」？

首先要先畫出心理邊界，不是每個人在你心中都是同等份量，有遠近親疏不同層次，針對不同頻率的人，保持相對合理距離，倘若這個人無論說話或是行爲都常觸碰到底線，就選擇直接割捨，不再往來。

1. 未曾蒙面的網友是最外層，千萬別信以為真

身爲數十萬粉絲追蹤的網路自媒體，訊息信箱總有各種問題，不時要當人生導師或是粉絲救命稻草。過去，我都會認眞看完讀者來信，悉心給予讀者寶貴經驗，但絕大部分，都是回完無下文。現在，只要讀者信件是小作文，單純抱怨文，自問自答系列，我都會請他找其他管道。畢竟，我不是心理諮商師，每一次感同身受，都會身心靈內耗，常常還被要求「請你不要寫出來」，而我卻不能要求你「不要來找我」。心想，倒完垃圾，還要別人不准消化，太內耗。

所以必須界定哪些問題該回答，哪些不該回答。最終，確立，只要是自助旅遊相關問題，我會回答，不過過於基本，或是工具人伸手牌，還是會被我拒絕。例如問「天氣」、「簽證」問題，我會請對方直接用 Google 關鍵字查詢，如果是機票，我會轉介各大機票達人粉專，如果是跟團問題，我會請你詢問旅行社。

2. 親戚、同學、同事、朋友，合作夥伴，保持適當距離

不管曾經跟誰山盟海誓，說過要當一輩子的好姊妹、好兄弟、好夥伴，絕大多數

的人在重大利益衝突面前，還是會選擇站在自己有利的那一方。倘若不分輕重，總是拿「情誼」當利益的籌碼，往往最終落到友情盡散，人去樓空。

所以必須界定信任與利益，大多數友誼破裂都是因為借貸關係，不要隨便用信任去交換任何物品，往往最終還不起的，還是信任兩個字。

3. 親人，伴侶，知心好友，互相成長，幫助，亦步亦趨

之前有人問陪伴父母旅行是必要的嗎？我認為，某些問題，不該問別人，孝順是兒女與父母之間關係，該怎麼孝順，如何孝順，跟別人無關，而且並不是每個家庭都是和睦安康，每對父母都是盡心培養子女，每個人的家庭生活環境背景不同，不應該讓社會大眾來定義怎麼做才是孝順。

夫妻關係，在結識之前也本都是獨立個體，在日常摩擦相處過後變成家人，但並非每對夫妻都適合結縭到白髮，認清彼此不合適而分道揚鑣也是不少。與親人跟愛人的關係是最難界定分寸跟距離，心中還是要留一把尺，不委屈，才是最重要的。

有邊界，或許對別人來說，那是一道隱形距離，但，對彼此，也是一道保護的城牆。

倘若現在有人硬要打破我的邊界感，我會選擇無視與消失，閃到十萬八千里。

6 不喜歡，不稀罕你的人，直接封鎖吧！

這幾年，隨著一趟一趟出遠門，一趟一趟歸來，發現回到家之後越來越少話，越來越不想出門，身邊的朋友也越來越有距離，以前可是聚會行程滿檔，早上吃到晚上，周一吃到周日。到底哪裡出了問題？我想，「離合」本人是悲歡歲月必要的經歷，只是到了某個年紀，越發不想努力，面對難以討好的人，直接放棄。

人生第一趟壯遊在三十歲，當時把遠行想得轟轟烈烈，感覺一出遠門就是生離死別，其實不過就是去國外打工度假一年而已。期間我會在社群媒體上記錄旅程點滴，在台灣的親友總留言：「等你回來，我們要好好聚聚，聽你說這趟旅程的故事。」

下飛機沒幾天，我滿心歡喜赴約，離開後卻一臉惆悵，我的旅程故事說沒幾句，聚會裡七嘴八舌，大家三句話後還是離不開家庭、工作、孩子、股票跟連續劇。她們不是不想聽，也可能真的是聽不懂，壯遊經歷就像魔戒遠征探險隊般，睡機場，半夜找住宿，搭便車等等，一般人此生都不會去經歷，也不會去挑戰，更不願去嘗試。

之後，我持續旅行，她們持續育兒，下一次聚會，下下次聚會，每一次在聚會，都離她們越來越遠，然後一年一聚，也變成了好幾年才聚一回，大家懷念以前相聚的時光，卻也知道回不去以前打鬧的感覺。

歸來，無法融入原本的群體，我像迷失的羔羊，總想起在異國旅行時間，在青年旅舍的大廳裡面，跟一群初次見面的背包客們聊旅行百態，那種熱烈、新奇、興奮的交流，猶如醍醐灌頂般全身舒暢，卻在壯遊回來感到越來越寂寞，後來我在網路平台寫文章，加入網路上的旅遊社團，也找到一群共同興趣的夥伴，最終我明白沒有人注定要孤獨，沒有人一定會寂寞，只是多年後，群體也是會散，**人都要先創造生活的價值，才會有屬於自己的群體。**

面對，不認同的人，刪除封鎖，不用廢話多說。

不管你在哪裡，發表什麼，都會有路人跳出來指點建議，有好有壞，有謾罵，有讚賞，剛開始經營自媒體時，對於路人批評耿耿於懷，後來學會忽視跟反擊。有些人，看著看著就變成了粉絲；少數人，從粉絲變成了朋友，也有從朋友變成了黑粉，被我封鎖之後到處說我壞話，我也才慢慢學會，不管是誰，都要學會分界，對你不認同的人，也很難扭轉他的觀點。

過去，我認為人跟人之間原本就要留一個模糊的空間，即使對方得寸進尺，也不要把雙方關係做絕。然而往往你讓人一吋，別人就更近一尺。時間證明，努力在跟無法溝通的人身上，完全就是浪費時間，努力去挽留對你有偏見的人，最後換來更多糟糕的偏見。不如停止內耗。不再來往，既然決定以後都不會相見，就不須再保留情份。

花心思在一個準備離去的陌生人身上，猜測他的喜好，介意他的反應，對自己發脾氣，不如把時間精力都放在自己身上，專注興趣跟自身的愛好，就會發現，可以利用的時間多出一大把，不要刻意討好任何人，只要挨得住寂寞，時間，自動會幫你淘汰不適合的人。

不喜歡，不稀罕你的人，直接封鎖吧！不要為了「不甘你的事」繼續內耗人生。喜歡你的人會跟上來，至於，拖你下水的人，早早放生吧！

倘若現在有人誤會刪了我，我也明白，人生最難，誤會冰釋。

歐洲 奧地利 / 高薩

不要對每件事都有反應

我算是中年轉行的代表，離職後誤打誤撞成爲全職旅遊部落客，網路上最常被問：「你旅行的錢是從哪裡來的？」我都要不厭其煩回答：「戶頭來的。」畢竟還有十幾年工作經歷與存款，並不是一無所有才去當旅行家。在還未離職前，也是邊工作邊寫書，出版過四本書籍，上過知名雜誌，還是某知名媒體的專欄作家。即使小有名氣，開始捨棄工作當自由旅行者前兩年，的確是入不敷出，常常旅行到一半，害怕坐吃山空要回去上班。

當時，我主力經營部落格與臉書粉絲專頁，部落格跟粉絲專頁幾乎是一天一篇文章，偶爾會接到廣告代理商的合作邀約信件，在報價之後通常就沒有任何下文，廣告代理商在分析定位後，我是列在一長串旅遊相關的網紅之間。廣告代理商在提案時會有我，往往最終合作人選不是我。當時就在想，是報價太貴呢？還是廣告曝光度不

7

好？如何在網紅輩出的新時代被記住，被看見，還要懂得如何流量變現，不至於長江後浪推前浪，前浪死在沙灘上。

「時事造網紅」是我找到最快被看見的方法，順應當下最熱門的話題，進行評判、炒作跟剖析，只要是名人離婚、鬧家變新聞頭條，我就會像新聞時事評論員，馬上寫下見解與感想，藉此吸引廣大粉絲目光，於是私下我們給這樣的行爲起一個專有名詞，叫做「蹭」。沒想到，有一天，我在網路上看到一位新進作家，發表文章批評我曾經發表過的網路文章，而且對號入座說「我的文章在針對她」。

底下的留言直接具名指向我，她的粉絲大多是站在她的立場一起批判我，當時眞是啞巴吃黃蓮，有苦說不出，半夜氣到想哭，也跟身邊朋友喊冤說：「我又不認識這位作家，我幹嘛寫她。」朋友說，這就是「蹭」。因爲你紅了，所以才有人要蹭你，不要過度反應。

後來，我取消關注那位作家，也思考：透過評判他人獲得的流量是我想經營的族群嗎？疫情過後，我就重拾行李出發，專注在社群分享旅途上的故事點滴，逐漸不在公眾領域談論「他人」的事，包括新聞、家暴、政治各種社會熱門議題，例如名人離

泰國 清邁／水燈節

婚再婚，名人教養小孩，這種茶餘飯後的閒聊話題，關心過頭就變成虛耗人生。

以前，我也喜歡跟人聊八卦，談是非，一群人聚著聊風花雪月，誰跟誰在一起，誰又跟誰鬧翻。過了幾年發現，曾經再好的一群人，最終也是人走茶涼，人去樓空，有些人還翻臉成仇。就想，人爲啥要花那麼多時間在莫名其妙的別人身邊上，以前是爲了融入群體，結果時間會篩選適合自己的人群。

面對你無法招架、相處的人，就該保持三尺以上的距離跟拒絕私下密切往來。

很多人都明白，跟嘴碎、四處八卦，愛顚倒是非的人當朋友一定會出事，但還是很多人在出事之後，不停跟人抱怨：「怎麼當初要跟這種人交往。」這幾年，邊旅行邊生活的我，很努力學習「不要對每件事都有反應」。

某件重大話題發生後，先釐清是公衆的事，還是私人的事，再來釐清自己的角色在什麼位置，身爲半個公衆人物的我，必須謹言愼行，才不會招來禍端。

現在，我也不隨便幫讀者解決感情、職場上的疑難雜症，每次傾聽都需要花很多心力去感同身受，卻不能表達我自己的眞實感受。有人告訴我，她分手後心力交瘁，一段時間無法工作，兩個人之間就像有一道鴻溝，彼此相愛卻無法在一起，深聊過程，我內心翻了八百次白眼，還是要告訴她：「加油，這都是經歷。」最後說：「情劫已了。」痛每個人都有，你不需要陪誰一起痛。

不過，我對於上門來踢館留言的路人甲乙丙丁還是很有反應，門口準備了鹽巴、掃把、機關槍、坦克車、轟炸機，一言不合，直接封鎖，但願此生不復見，生命再也不有交集。

我的工作目前仍是經營網路自媒體，與其用盡手段被看見，爲了流量讓自己落入風口浪尖，不如好好專注在分享旅途，不要隨便對任何事物產生反應，也不招惹是非，也就不會徒增煩惱。

倘若現在有人想打破沙鍋問到底，到底是誰蹭了你。我會回「關你屁事」。

8 踏出舒適圈前，不能只有一股腦熱情

走在半路上，常會有人對我這樣說：「我好羨慕你可以一直去世界旅行。」面對別人投來羨慕忌妒的眼光，沒有什麼太多力氣解釋，畢竟這條路背後的辛酸只有自己知道，通常淡淡地回應：「那是我選擇的路。」

許多年輕人都曾告訴我，想把原本的工作辭掉，像我一樣邊旅行邊工作，靠經營自媒體跟寫作維生；不想在職場上日復一日浪費生命，把我的故事投射在他的人生藍圖上當範本，期待我能給他們一些建議。

我語重心長地告訴他，全職旅行者加上長途旅途，一點都不簡單。首先我準備了三十萬的旅遊預備金，準備燒完之後就回職場繼續當打工仔。再來，我嘗試各種自由業額外收入，包括出書、講座、寫作補貼旅費等等。最後，就是控制預算，試圖用最少的錢，讓自己走最遠的路，剛開始眞的是燒錢，好怕存款用盡落到身無分文的窘

南美洲 祕魯 / 庫斯科

境。

通常我都是購買最便宜的廉價航空機票出國自助旅行，沒有購買托運行李，全身上下就只有七公斤的大背包，裝了幾件簡單的衣服，盥洗用具，還有電腦相機。去哪裡大部分都走路，住青年旅館，吃路邊攤，一天預算控制在台幣五百元以內。

我住過只有五十台幣一晚的青年旅館，那是在印度最西邊拉賈斯坦邦的沙漠裡面，當時嚴重中暑，上吐下瀉，必須找個有冷氣的旅館休息，沒有太多預算，只能住在十二人間的宿舍房裡。

爲了省住宿交通的費用，也在義大利嘗試沙發衝浪，與一個陌生男子分開睡在同一張床上。移動都選擇最便宜的巴士，手上會有一袋義大利麵、中式醬料跟麵包，三餐大部分都選擇在超市購買便宜食材，在青年旅館的廚房自己煮來吃，喝的是水龍頭流出來的飲用水，鞋子磨到平了才換掉；最奢侈就是去咖啡館喝一杯冰拿鐵，在酒吧點一杯生啤酒，在麥當勞吃一次大麥克。

我經歷過很窮、很窮遊的時光，也發生過各種光怪陸離的突發狀況，旅行眞的沒有想像中舒服，尤其在你沒有退路時，也從中發現了不同旅行模式，明白旅行不需要太多錢，需要的是時間還有方法。

不過，人不會一直都在原地踏步，這些年也不再窮遊，會住好一點旅館的單人房，能搭火車就不坐巴士，以往的旅途累積的時間、經歷與財力，讓自己有能力去選擇更適合的旅行方式。

最讓我意外的是疫情發生後的那兩年，世界因爲疫情而停滯，飛機不飛、國門不開，結果是自媒體經營收入最豐收的兩年。因爲哪裡都去不了，所以任何工作我都做，任何業配我都接：去過墓地露營，當過美食外送員，賣鍋子、賣家電，還多寫了兩本書。等到疫情一趨緩，就直接訂了機票不回頭。

當時有人問我：你在台灣做網紅可以接很多案子，怎麼不一直賺下去？

我說：No！No！No！當初戶頭只有三十萬時，我選擇去旅行，花光所有的積蓄在所不惜。現在，我賺了錢，有更好的能力去更遠的地方，錢，是拿來花在喜歡的地方，而不是一直在賺錢。賺錢，不是我的興趣。

許多網友會把勵志情感投射在我身上，期待我能鼓勵他們成爲下一個追夢者，不過正因爲一路上跌跌撞撞、各種委屈，見識過各種半途而廢的追夢者，更希望每個人在做出決定踏出舒適圈前，不能只有一股腦的熱情，而是心態準備好去接受意外的發生。

倘若有人問我：「爲啥你覺得自己可以，別人不可以？」我會回「人人都可以勇敢，但不是每個人都能堅持，即使溺水還要前進，鼓勵別人踏出那一步，就像給人一個微笑，但並沒有承擔後果」。

歐洲 塞爾維亞 / 貝爾格勒

9

不喜歡我，就請不要接近我

朋友中年離職後，在家附近開了間甜點店，當起了一人小店老闆，本以爲就平凡的開店過日子，沒想到常常爲了一些莫名其妙的客人，弄到精神分裂跟憂鬱。他說最近遇到一對情侶顧客來店裡，才剛踏出門就給了一顆星，只因爲沒有第一時間招待，感慨總有人喜歡用「網路評價」當武器，輕易讓別人多年的努力變成泡影。

朋友仔細把他的留言記錄打開，發現留言的網友常到處去各餐廳、咖啡館留下負面評論，看得他心情焦躁不已，本想回應什麼，卻最後只能作罷。我回：「我知道你想罵髒話，但你不行。」

這些年，我也是被各種酸民留言弄到快得躁鬱症，雖然知道身爲公眾人物，就必須受到公眾評議，承擔不同眼光跟評價，只是某些一而再，再而三的網路攻擊跟留言，還是會讓我瞬間理智線斷裂。

歐洲 羅馬尼亞 / 布拉索夫

「你很介意別人怎麼說你吧！」收到這個回留言時，短暫愣了一下，特別錯愕。經營網路社群多年，總會碰到各種奇葩回覆。寫單身，被人說介意單身，寫年紀，被人說介意年紀，寫旅遊心得，不時就會被路過的人糾正，中文寫錯字、英文單字拼錯、文章寫這麼多字誰要看、身材不怎樣還拍泳裝，整個旅遊路線規劃很有問題。看完，立馬翻個大白眼，內心叨念著：不想看就別看阿！

忍了幾年，發現類似網路留言越來越多，有種被潑了一身髒水，卻也無可奈何的悲摧感。這幾年我也學會反擊，直接回：「你不是我老師，我不是你學生，網路上檢查作業有意思嗎？」「我寫這麼多就是因爲有人看，倘若礙你眼，你爲什麼不選擇不看呢？」「管別人身材怎麼樣，是住海邊嗎？」「出門旅行又不是花你的錢，怎麼規劃怎麼走，你的意見，關我什麼事？」「花時間到處去懟網友，怎麼不花點時間去想想自己的問題。」

回懟後，正常人就會離去，甚至把我的帳號封鎖，對此，我感激不盡。少數不正常的人就會暴怒，在你身上灌上各種難聽的詞彙，例如「沒教養」、「玻璃心」、「經不起別人說兩句」、「不檢點」、「惱羞成怒」等等。我也不想忍耐，理所當然對那些保有惡意的人直接說出這句話：「不喜歡我，就請不要接近我。」

可以不喜歡，但別任意攻擊，這不合理，也不正當，更別拿「我曾經多喜歡你」來情緒勒索。喜歡一個人，不代表你就可以評斷他的行爲，糾正他的言行，干擾他的生活。

我管不了別人在背後如何議論，也無法阻止別人在其他領域怎麼批判，更無法對每個惡意中傷的留言做出澄清跟解釋，但在我地盤上放肆，還要我尊重你，到底是誰有問題？

唯一能做，就在自己的世界活得坦坦蕩蕩，在別人惡意攻擊時，也學會表明立場，按下封鎖按鍵，每個人都有捍衛自己立場的權利，讓介意的人自行離去，生命不應該浪費在那些莫名其妙的鬼怪上。

人會逐漸變成心硬不是沒有道理的，因爲所有傷痕累累，最終都變成人生的保護傘，過於懦弱只會讓人騎在頭上，變得患得患失，失去自我。我喜歡現在的自己，心有點硬，但也有柔軟的部分，明白善良，只給懂得的人。

不要害怕失去，就會獲得另外一種勇氣，不要害怕出發，就會一直擁有更好的自信。

倘若有人恐嚇我不怕路上被人潑硫酸？我會回「因爲害怕就消極面對霸凌，才有問題」。

亞洲 馬來西亞／怡保

四十歲後最重要的課題——善待自己

一直旅行的人，就是會碰到各種意外，包括飛機在你眼前飛走，巴士提早十分鐘開走；小心翼翼的都到餐廳吃飯、都喝礦泉水，沒想到還是拉肚子好幾天；在高溫炎熱的季節去沙漠，熱到中暑脫水，發現原來在印度看醫生拿藥不用錢；在南美洲亞馬遜叢林泥堆裡旅行好幾天，全身髒兮兮也沒辦法洗澡，睡到一半還被蚊蟲咬，差點痛到以爲要截肢；因爲太想念家鄉味，在Google評論挑了一間接近滿分的中餐廳，結果吃一口就後悔……。

剛開始踏上旅途，每次只要遇到意外，例如房東放鴿子、錢包掉了等等，都會沮喪好幾天，甚至想中止旅行，直接買單程機票回家算了。但哭得再傷心都沒有用，憤怒敲牆壁也沒有用，各種情緒發洩都無法改變事實。最終，還是需要靜下來面對一切，先善待自己，再處理問題！

10

善待自己，不是跳過問題，也不是逃避責任，而是選擇先處理事情，再面對情緒，畢竟，情緒無法處理任何問題，當問題處理差不多，情緒能找到出口。

總有人問我：「旅途遇到突發意外，你會害怕嗎？」我會搖搖頭。所謂的意外，就是意料之外，即使準備再足夠，也無法阻止意外的發生，意外，原本就是旅程的一部分，同時，也是人生的一部分。

既然決定獨自遠行，就必須做好所有最壞的打算，見招拆招，遇到難題，就解決眼前的困境，解決不了，那就直接跳過問題，因爲不解決也是其中一種辦法。

二〇二四年大年初二跟朋友去吃飯，沒想到剛吃完飯要離開，車子就發動不了，一票人在寒風中大概等了半小時，修車廠救援維修才姍姍來遲，因爲過年期間塞車眞的挺嚴重的，接上了電沒多久終於可以發動。

正當以爲一切都回歸正常，一分鐘後車子又熄火，燈光全滅，車窗無法往上拉，瞬間回到原點，更糟糕是，這並不是接上電就可解決的。一群人正想辦法該怎麼處理，是要請拖吊救援呢？還是請附近修車廠再來處理？會開車的人，不一定兼備修車專業。

過年期間大多數的車場都歇業，左右爲難之際，最後還是請附近修車廠先來拖吊，還好是兩台車一起出遊，旁邊還有一輛車，後續可以接送朋友返家。

「眞好，不是熄火在高速公路上。」我說。

「還好，這裡不是深山幽谷。」他說。

「還好，今天天氣沒有很冷。」她說。

「還好，有第二輛車。」

等待的過程中，沒有人想逃離，車主也沒有表現很生氣，一群人就在路邊開各種玩笑垃圾話，還好，我們是一群人。才明白，到了一個年紀之後，任何意外的發生，都不再慌張到手忙腳亂，也不想指責爲何讓事情發展到這個地步，而是選擇先讓「自己好過」，再讓事情「解決」。

對我來說，這輩子最大意外就是半生出走，倘若當初沒有持續創作，一直旅行，堅持做自己，現在所有的經歷都不會發生，所以接受它，解決它，放下它，意外也可能變成人生精采的插曲。

過了某個年紀，請學會讓自己好過，無論在哪裡，發生什麼，都不要放大該死糟糕罪惡感的情緒。

遇到難過的事，請想著這只是小事，只是生活中微不足道的鳥事，最後它就會成爲不足掛齒的鳥事，**困難本來就會是人生必經過程，過了這關，人生又解鎖一個難關，偶爾想起來還特別有趣。**

面對任何意外，請保持樂觀，讓自己好過，不好的，都已經過去。

倘若現在有人恐嚇我「萬一下一個意外就是你」。我會回：「沒有人會因爲萬一就不吃飯跟出門。」不要隨便拿你的假設給別人，害不害怕，我的事。意外就是要面對，不是害怕。

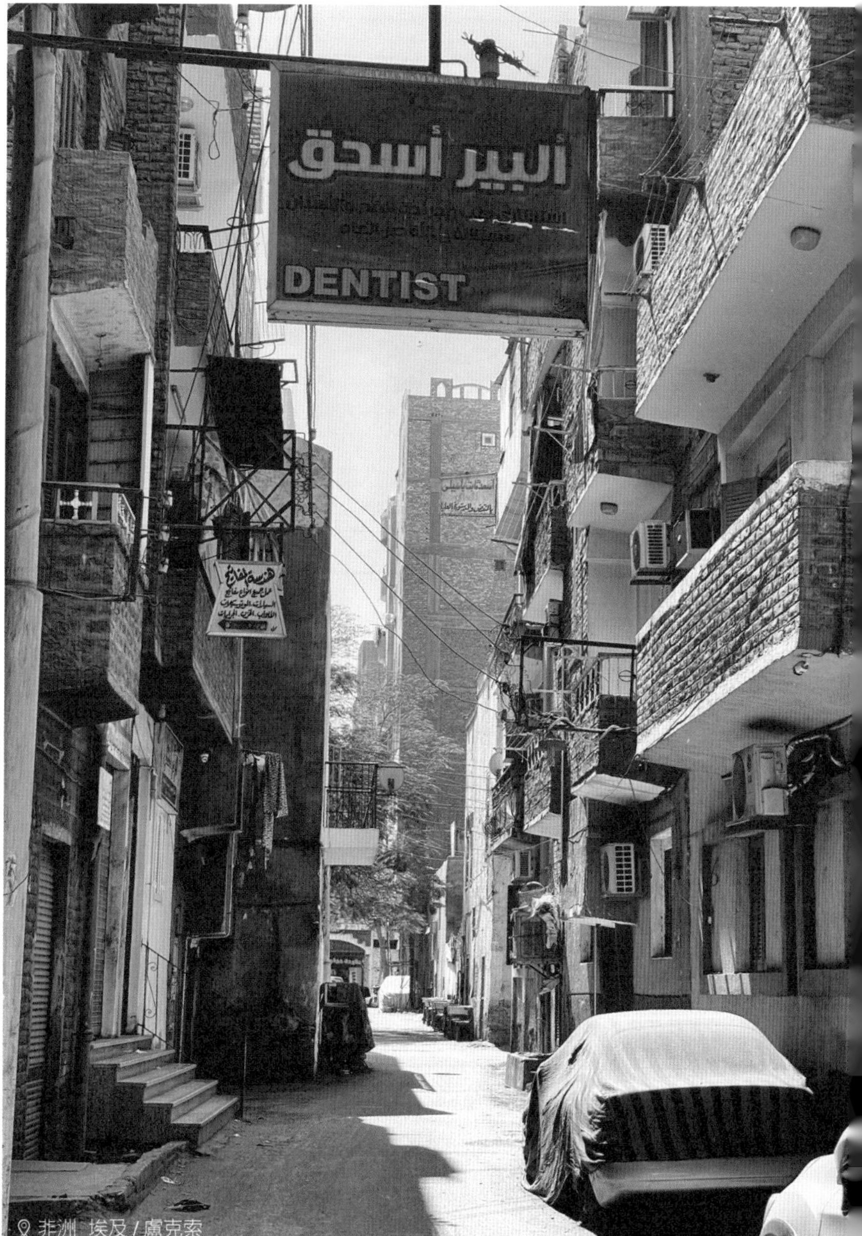

非洲 埃及/盧克索

Chapter 2

原來我們都不夠**了解自己**

南美洲　玻利維亞 / 烏尤尼

人與人之間，保持距離，就能舒心

過了四十歲，平時會聯繫的朋友就是那幾個，會約出來吃飯喝咖啡的也是那幾個，不需要裝扮穿得美美的，穿著居家服跟拖鞋就可以約見面，不用特地約什麼網美咖啡館、高檔西餐廳，有時就是家門口對面的便利超商用餐區，坐在靠窗的玻璃位，兩杯美式咖啡，兩塊蛋糕，嘻嘻鬧鬧就能聊一個下午。到了飯點時，散步到旁邊巷子口的小吃店，喊一盤海帶豆干滷味，順點兩碗陽春麵，吃完後就各自散，也不會刻意的擁抱跟不捨。

熟齡的友誼，不是非要在哪間店，吃了什麼特別的料理，而是「見到你真好」。聊聊一些生活上瑣碎雜事，知道你過得好，我過得好，這樣就很好。畢竟，這年紀能讓自己合適舒服的朋友，真的不多。

心底也明白，身邊的有些人，能少見一次面，就少一次面，不想勉強自己坐在他

非洲 摩洛哥 / 撒哈拉沙漠

的對面，聽著重複十幾年的對話錄音帶，萬年如一的抱怨內容，關於他的工作、感情跟家人，以及他的朋友發生了什麼事，有時還要裝做第一次聽見，或是提醒他：「你說過很多次。」

不是到了與世無爭的年紀，而是了解遠離無法管控情緒、價值觀不合的人才是眞正保一世平安的良藥，大多時候消耗你能量的都不是工作，也不是家庭雜事，而是相處不來的人。

年輕時，喜歡四處結交朋友，最好三教九流，各行各業，奇形怪狀都有，想知道現實世界中是否也存在電影跟小說情節，例如總裁與灰姑娘、豪門復仇記、黑社會槍林彈雨等，想讓平凡無奇的生活多一些波瀾。

剛背包旅行時，也很喜歡在青年旅館的交誼廳中搭訕其他旅人，像個好奇寶寶般詢問他們來自哪裡，之前去過哪裡，接下來要去哪裡，你們的國家有什麼好吃好玩的地方，有沒有推薦的景點跟餐廳，等下有空要不要一起出門走走。希望有天也能跟他們一樣浪跡天涯，環遊世界。

但這幾年，我還是會因爲節省旅費選擇住宿青年旅館，從辦理入住到離開城市，鮮少跟其他各國旅客互動，心底明白，重複的對話就是那幾句，聽久了別人的故事，說久了自己的故事，別人故事再精采，那也是別人的，我的故事再荒唐，那也是我的。不再期待會遇見什麼人，誰會站在轉角等你，不同旅人走上旅途都有各自的原因，基本上離別後，都不會再見面，就算再見面，也不是原本認識時的模樣。

逐漸，也淺移默化回原來居住的環境，當別人找我抱怨感情不順時，不再將心比心，聯想到過往受挫的感情，那種你痛、我也痛的苦楚。而是靜靜聽完，期待事過境遷後你能好起來，也不會罵別人傻，指責對方在感情上的不忠或出軌，畢竟當初選擇的人不是我，該分手或復合，都是你說了算，我給了一大堆建議又能如何，又不是我在談戀愛。

職場抱怨也是一樣，這家公司到底好不好？能不能繼續待下去？遇到同事霸凌該怎麼辦？到底要不要離職？該不該花光積蓄去創業？每個人只會在猶豫不決時來問你，無論你給了任何建議，最終也只有當事人能決定。我只能分享自身的經驗，卻無法讓人複製，也不能保證你聽了我的建議後，離職後就會找到更好的工作，創業就會成功，只是讓人有不同觀點去思考。

以前最討厭別人用社會道德觀綁架我的行爲，如今，我也不想用自己的價值觀綁架他人該怎麼做，不是每個人來求助幫忙，都必須回答，更不需要四處糾正別人，什麼樣的人生才是好的。

當你一次又一次篩選，看淡了人與人之間的關聯，自然就沒有什麼牽絆可言，**不再把太多的情緒投入在他人身上，就可以把關注焦點轉回在自己身上，生活圈自然就**變得簡單乾淨，日子自然也沒有焦慮可言。

不隨意提供別人建議，不攬他人之事在身上，人與人之間，沒有太多利益衝突，情感糾葛，保持距離，就能活得自在跟舒心。

倘若有人問我：「我該離婚嗎？」「我該離職嗎？」「我該分手嗎？」我會回「我又不是你」。

踏實下來，你想要的歲月都會給你

當年我鬧了半年的家庭革命，在辦公桌抽屜埋了好幾個月的離職單，才如願以償到紐西蘭跟澳洲打工度假一年多。從一個腳踩三吋高跟鞋的上班族，變成穿著雨鞋在草莓農田裡打滾的打工仔，從朝九晚五的冷氣房辦公室，變成烈陽暴雨都要在戶外流汗的工讀生。

頭幾日我也憤恨不平，放棄白領工作來到國外追夢，怎麼變成了農工階級，住在髒亂的宿舍房，每日爲了省錢煮食三餐。但爲了面子，不想被人笑話，硬是留了下來。過了一周後，身體適應早起早睡的勞做型態，過了一個月，身心都適應一切狀態。既然，路是我選的，再苦也要走下去阿！

回來台灣後，身心卻怎麼也調整不回來，最大的感受是四個字「行屍走肉」。早起刷牙上班，接著客戶的客訴電話，慣性回覆工程師的郵件，坐在會議室裡報告部門業務，而靈魂卻遺落在他鄉，好幾次出神，好幾次想衝動辭職，然後背著背包頭也不回的浪跡天涯。

有天，周五下班獨自搭著火車去花蓮散心，住在火車站後面剛開沒多久的青年旅館，在大廳遇到一個來自北京的女孩，她一直嚷著肚子餓，問花蓮有什麼好吃的，我說：「我是地主，帶你去一起去吃東西吧！」

北京妹二十出頭，是標準的五月天迷，從她開口到結束都沒辦法離開「五月天」這三個字，看到我的第一眼，就秀出她在台北「STAY REAL」專賣店的戰利品，這時候我還不知道什麼是「STAY REAL」，我從來沒有追星過。從在旅館撿了她之後，兩人就一起旅行三天，第一天我們在花蓮市區走了八小時，第二天傍晚我騎著摩托車帶她去夜市和附近晃晃，第三天我們去花蓮溯溪，晚上還去看了五月天在花蓮夏日嘉年華的演唱會，此生第一次我排在萬人演唱會的搖滾區，跟著一群年輕人在尖叫吶喊。

最後一天，我們散步在花蓮街頭，我告訴她很不喜歡現在的工作，還有不理解自己夢想的家人，很想再次逃離原生的環境，去一個沒有人認識我的地方生活。她告訴了我她的人生格言：「慢慢走，其實比較快，踏實下來，你想要的歲月都會給你！」突然間，無法遠行的困惑與生活拉扯，都有了答案。

人在羽翼未豐時，總懷抱夢想無限，想展翅高飛，卻往往都被現實拉著走，根本沒有太多選擇，都是別人在選擇我。一次又一次被挫折打敗，累積焦躁不安的情緒，逐漸被黑暗所蒙蔽，想逃離卻害怕無法承擔過錯。人生的過程本來就會接受壓抑跟挫折，即使是含著金湯匙出生，都會有自己想做卻當下沒辦法完成的事情，那不是誰的錯，也不是沒錢的錯，更不是父母的錯！

人的時間還沒有走到對的位置，而欲望卻已經超出太多，此時請調整步調，認清現實跟夢想的差距，時間是所有的解藥，你一定會得到自己想要的一切，只不過不是現在，重點是你選擇看見夢想走向它？還是背道而馳？

各自離去後，我跟北京妹也徹底失聯，但不再動不動就想遞離職單，也不想跟不懂你的人爭論些什麼夢想，順著眼前的路走，能寫作就寫作，能出書就出書，能出走就出走，懷抱著環遊世界的夢想，也不急於馬上實現它。再過幾年後，我最終還是離職了，一個人揹著七公斤的背包旅行世界，家人也不再阻攔，寫作的興趣變成了主要收入來源，過去想要的一切，慢慢水到渠成。

爾後每幾年都會回到花蓮見見朋友，那些曾經路上幫過我的貴人們，也記得北京妹說過的話：人要學會放慢腳步，每一步都走得踏實，好的，壞的，都是過程。最終，每一個人都會成長，變成自己喜歡的那個人，莫忘初衷，曾經的你多想掙開枷鎖，那麼，有一天，你就會展翅飛翔。

倘若有人問我：「如果等不到好的結果，你還會繼續嗎？」我會回：「轉個彎飛翔，會有另外一片天空。」

泰國／清邁／水燈節

當個具象的內向人吧！

大學念書時，同班同學給我取了「交際花」的綽號，代表我很會社交，也很擅長跟不同的人打交道。剛上二年級，就擔任了學生會重要幹部，兼任聯誼會社長，團康社幹部，假日跑救國團做校外服務，穩妥妥是半個校園風雲人物，未曾想過有一天心理測驗結果：內向人。

近來網路上有個很火的心理測驗MBTI，大類主要分成I人跟E人兩種，I是內向者，E是外向者，細分後有十六種人格特質。在回答一長串的問題，測驗結果顯示，我是INFJ提倡者，一個著實的內向者，號稱僅1%最稀有的人格。網頁上說明INFJ的人格非常內斂，有點不擅交際，偏好獨處，爲人心思細密，亦懂得察言觀色，處處爲人著想，能包容別人的壞情緒，可以做到感同身受，善解人意，是一個很好的聆聽者。

3

看完分析後，的確符合現今生活的狀態，不愛交際，習慣獨處，喜好坐在咖啡廳角落觀察人生，平時不爭不搶，也不愛出風頭，抱著隨遇而安的心態。不過遇到逆境時會爆發出頑強的抗壓力。雖然說是1％稀少型人格，但是在我分享給身邊的人之後，發現一堆跟我同款人格特質的朋友。心想：果然有神經質的人，同溫層都很厚，因為彼此了解都不好相處，特別惺惺相惜。

不過，之前我根本不是這樣的人，喜歡熱鬧，老愛招朋引伴辦一堆聚會，活動從周一排到周日，活躍在不同圈子，總期望得到各領域中有舉足輕重地位的人肯定。沒想過有朝一日，感情空了，同事沒了，逐一退出各種圈子，曾經拜把的朋友，一個一個也散了。

轉念思考，人格的確會隨著成長經歷而改變，這跟出生背景沒關係，跟學歷工作沒有關係，跟人生選擇有關係。你選擇跟誰做朋友，你選擇什麼型態的工作內容，你選擇怎麼面對挫折與困境，你選擇如何跟家人相處，最終的結果都會到自己本身，形成每個人獨一無二的人格特質。

過去，畢業之後我本想進入廣告公關行業，成為夢想中的事業女強人，後來跑去

資訊業，從頭學習撰寫程式代碼與編排系統規格，曾經談過幾段戀情，也想當位賢妻良母，洗衣做飯帶孩子。未曾想過，半生出走踏上旅途，獨自去追尋遠方未知的風景，飛越千山萬水，看盡雲起潮落，遠離熙攘人群，習慣了沉默，心想原來一個人活著，沒有想像中孤獨。

轉變不是不好，當你活得越發貼近自己，日子就越快活，即使沒有人群簇擁，沒有掌聲加持，也不會覺得空虛寂寞。不要隨便在內心養一頭情緒猛獸，因爲他人的流言蜚語就變得敏感，讓情緒陷入不安惶恐，再把過去辛苦建立的輝煌都毀掉。

一連串的人生經歷，讓我現在學會關上心門，不再糾結哪個人離去，也留著一個門鈴，讓有禮貌的人進來，偶爾清理一下後院的雜草，把過去藕斷絲連的緣分都清理

南美洲 祕魯 / 馬丘比丘

乾淨。那些沒有太深的交情，見過一兩次面的人，就保持完美又不打擾的距離，清理那些無時無刻總在抱怨，或是硬是想改變你狀態的人，只留下合適舒服的人。

即使如此，我仍然不後悔曾經付出任何的感情，就像有讀者問我，你有沒有後悔過去做了什麼？我說：沒有，人不能活在後悔裡。

當你越發了解自己，內向其實沒什麼大不了，少量社交也不會降低生活品質。越發認識自己是誰，透過聚焦內在，與身邊的人誠實相處，那些難受，就會過去，變得坦然。當一個具象的內向人，也很不錯！

倘若有人問我：「不怕以後都沒有朋友？」我會回：「損友傷身，不交反而神清氣爽。」

4 不要因為別人的失望，讓你對自己失望

身爲全職旅人，我不是在旅行的路上，就是正在計畫著下一段的旅行，不少讀者也受到鼓舞，即使從未嘗試過，也終於邁出那一步，在網路上購買機票，制定旅程計畫，還拉著親友一起出發。

某天，有個讀者私訊給我說，她的第一次規劃自助旅行，跟想像不太一樣，並沒有想像中美好，甚至有點沮喪。我說，這很正常，獨自旅行，好的壞的都是你的。她回覆下一句：「這次行程，我還有伴侶隨行。」瞬間我好像了解她的無奈，彷彿過去旅程中的豬隊友行徑走馬燈又出現在眼前，選擇看破不說破，默默回她：「下次自己一個人去吧！」

還記得我第一次海外自助旅行是去泰國曼谷，當時整整花了好幾個月做功課，買了好幾本工具書研究跟參考，包括第一次自助旅行就上手、曼谷自助行，還有旅遊開

歐洲 挪威 / 特羅姆瑟

口說英文。上網註冊自助旅遊網路論壇的帳號，瀏覽無數旅遊部落客近幾年的自助遊記，在閱讀海量資訊後，精心規劃排列出五天四夜的完美行程，結果出發後一切跟想像不太一樣。

出發那一刻就錯誤百出，出發後一直在迷路、找路跟問路，同行旅伴如脫韁野馬般無法控制，完全不按牌理出牌，白天路邊逛進一間小店，離開時外頭已經是黑夜，你指著手錶上的時間提醒對方，對方則一臉央求：「難道不能繼續逛嗎？」

因爲不是跟傳統旅遊團，所以沒有任何束縛力，既定行程表寫七點起床，八點出發去景點，但逛完街的隔天，旅伴們都睡到接近中午才願意起來，還央求我可不可以直接砍掉原本行程，回到昨日的商場繼續未完血拚。最終，第一次曼谷自助行，只剩下百貨公司跟按摩店，旅館地板上全是購物的紙袋跟戰利品。

老實說，那次回來後，我對旅伴生氣了半個月，也對自己生氣了半年，爲啥我都這麼努力精心策畫，最後只剩下吃喝逛買。過了好幾年後才釋懷，其實那不過就是一趟旅行，不管你怎麼準備，事事不可能盡如人意，尤其還跟了兩個第一次出國的朋友。

帶父母出門旅行也是一樣，根據我多年自助的經驗，加上對於當地的熟悉度，自以爲無論景點、餐食都安排到天衣無縫，沒想到和媽媽在行程途中一言不合開始爭吵，把在家裡多年宿怨一次攤開，自此一發不可收拾，接著便是毀天滅地的旅行。說不下車，就不下車，說不吃飯，就不吃飯，說想回家，就要你馬上送她回家，還放話接下來都不要叫她做任何事，去任何景點，行爲舉止完全不可理喻，此時每個同行的人都感到身心俱疲，有身在天堂，心在地獄的悲摧感。

我認爲，每個人對於旅行都有特殊期待，畢竟額外花了時間跟金錢，當預期落空不免會失望。但這都不打緊，可怕的是承受了別人的期望，同時也必須承受失望。旅途中，同行者情緒的惡，會不自覺放大十倍，即使他是你多年好友、伴侶、父母，體驗過那種委屈，就像被打入地獄般。

這也是爲何後來我選擇一個人踏上旅行，因爲當你不用顧慮別人感受，就可以完整擁有自己想做的一切。想幾點起床就幾點起床，想幾點就寢就幾點睡覺，不預期遇見誰，遇見了就好好相處對待，遇到問題會自己解決，也不需要別人給你建議，以前會害怕一個人旅行寂寞，現在，我更怕有恐怖旅伴，會有想丟包對方的衝動。

之前有讀者問我：「旅行過程中不會覺得寂寞嗎？」我回答：「不會，任何陪伴都是多餘的，當你對別人沒有期望，就不會伴隨失望，你不會期待別人陪伴，就也沒有寂寞可言。」

我不喜歡付出後，最後被虧待的感受，委屈會放大，像惡魔，把自己吞噬。每個人都有不同步調，不是人人都適合綑綁在一起，大多數人可以陪你走一段旅程，但沒有人能陪你走完人生全程。

不要因為別人的失望，讓你對自己失望，見識過人性，就該學會自私一點，不要掏心掏肺，換來狼心狗肺。

旅途最怕，你想吃什麼，都不能決定。所以現在帶親友出門，我先做好不期不待的心理準備，順著路線走，保留跳過路過略過的彈性空間，面對突發狀況都先做好心理準備，往死裡拚命念：「不要生氣！不要生氣！生氣會長皺紋。」

倘若現在有人叫我帶他去旅行，我會回：「不可以。」

你很在意年紀嗎？

這幾年撰寫不少觀點文章，開頭第一句不約而同都是「到了一定年紀」或是「過了四十歲後」，接著就寫出對於某件事物的看法，好似人到了一定的歲數之後，面對眼前發生的事件就會有截然不同的思考模式。就有讀者在留言區問：「雪兒，你是不是很在乎年紀？不然為何每篇文章都提到一定的年紀、歲數。」

第一反應，我是哭笑不得的。十幾年前也有網友問過類似的問題，例如你是不是很在意嫁不出去，不然為啥文章裡面總是強調單身？你為什麼一直鼓勵別人離職，難道夢想是能當飯吃？為啥你一直都在寫失戀、失業、失去自我，就不能寫點其他東西嗎？

當時只想靠寫文章抒發心情的我，委屈到不知道跟誰訴苦，身邊朋友都只能安慰：「就別在意網路酸民啊！酸民就是不管你寫什麼，就是要酸。」何嘗不明白這道理，實際卻憋屈至極，尤其面對不分青紅皀白、見縫插針、斷章取義的酸民們，感覺

5

亞州　馬來西亞 / 馬六甲

隨便一個路人甲都能站在道德制高點，評斷你該寫什麼，不該寫什麼，然後跟社會大衆道歉。

之前寫了一篇在青年旅館多人宿舍房遇到對聲音敏感的室友，因爲我半夜歸來吵到隔壁床的一位阿姨，隔日被阿姨咆哮並怒罵「妓女」，結果引來各種圍剿聲浪，甚至跑到我的個人粉絲專頁嗆聲。他們不理解背包客棧不是一般旅館，我入住青年旅館裡的六人合宿房，旅客時常半夜入住都有可能，眞是有理也說不清。

後來幾年，褪去了專欄作家的身分，網路文章也不授權給媒體免費轉載使用，也不理會酸民的留言。二十歲的我，寫二十歲的青春徬徨；三十歲的我，寫三十歲的生活掙扎跟旅行生活觀點，四十歲後，總該寫一些人生體悟吧！至於那些愛看又愛嫌的路人，不理會就好了。

日前去馬來西亞巡迴演講，有台下讀者問我：「台灣花蓮七級地震可怕嗎？」我告訴她：「十歲的我會嚇到哭，不知道該怎麼辦，二十歲的我會想著衝出去外面，三十歲的我第一時間會想聯絡家人，上網打卡。過了這年紀，歲月蹉跎的也差不多，第一時間的想法是大概搖個半分鐘就結束了。沒想到半分鐘後還在搖晃，於是我起身想走出家門，不過沒多久我又回到床上。心想，如果生命到了盡頭，那我接受了。」

「淡定」這兩個字，不是上過幾堂課程，繳了多少學費就能馬上擁有的安心丸，而是經歷過慌慌張張，冒冒失失好幾回，調整心態告訴自己：最糟糕就是這樣了，既然有了最壞的打算，那接下來又有什麼好害怕呢？

旅途中，我也經歷無數個生死瞬間，人能做好萬全的準備，卻沒辦法阻止任何意外，倘若眞遇到劫難，活著不是誰能決定，那麼從容死去卻是我可以選擇的。

每個人都可能經歷低潮，感覺特別窩囊跟廢物的時候，做了所有的努力，卻沒有合理的回報，在人生十字路口迷路了，失業了，失戀了，失去自我，覺得沒有活下去的必要。但在低谷時，也有低谷的風景，讓人去考慮是否要奮力一搏，將人生換一種活法。

我的文章有一個特點，就是眞實與溫暖，因爲眞眞切切記錄這幾十年來的心路歷程，包括失戀、打工度假、不放棄追逐夢想等等，同時也探討女性、職場、單身、旅行不同議題。都是自己的故事，卻也可能重疊別人的經歷，我也想讓更多人人知道，只要你願意走出來，再黑暗的生命也能透進一絲曙光。

只是現在的我也沒辦法再回去從前，寫當時的憤怒跟無奈，隨著時間也慢慢釐清，我，與別人之間，根本不存在一座橋樑，也不在同一賽道，更不在水平之間。

當你不再討好，許多困惑就有了出路，

當你劃清界線，許多麻煩就自動消失，

當你明白尊重，他人也會報予你尊重，

當你不把自己丟在各種人際漩渦，生活也不會有滔天巨浪。

我的地盤，我作主，你不喜歡，請離開，每一個人都有權利表達意見，但我也可以選擇關門送客，畢竟沒有人，喜歡，全是廢話的建議。

以前，我都會思考，爲什麼有人會在文章下面按怒呢？他是想表達什麼呢？我的文章寫不好嗎？還是他不喜歡看到這類型文章。現在，直接封鎖，逼迫對方取消關注。

這個年紀，我在意口袋有錢，生活有閒，不被虧待，與同好來往，不接受負面情緒，把生活過成喜歡的樣子。

倘若有人問我：「會不會哪天就不寫了？」我會回「會，看心情」。

過了四十歲，我不再羨慕別人的母親

我媽媽是開理髮美容店的，小時候的記憶就是她很忙，非常忙，從周一工作到周日，從早上八點到晚上九點，起床就是開店做生意，每次到了假日或是過年前就會更忙，來洗頭髮的，來燙頭髮的，來修指甲的，從早到晚都沒間斷過。每次答應說要帶我去逛百貨公司，帶我出門郊遊，到了最後也都沒有去。

媽媽的小時候很窮，窮到還在念小學時就去工廠工作賺錢養家，嫁給了父親後，也白手起家開間店，經歷了台灣經濟起飛的黃金年代，與股市崩盤的那幾年，電視上出現好幾個因投資股票失利而跳樓的新聞，一夕之間家道中落。當時，我總是最後一個交學費，交校車費，交材料費，也沒有錢去畢業旅行，零用錢永遠都很吃緊。

她對我很嚴厲，管我很嚴格，不准我看漫畫，不准我看小說，不准我塗鴉畫畫，考試若是考不好，就會被恐嚇「畢業直接去工廠上班」。青春期有很長的時間，我都

6

不知道怎麼跟她說話，因爲好像一開口，她就會說「不准」，自顧自說賺錢有多辛苦。

大學聯考結束的那個夏天，我就決定立志離開家裡去外地念大學，迫不及待想離開她的監控範圍，離開青春期的窒息感，只是每到周末我還是如期的回到家裡，只因爲她嚴格控管我的零用金，不回家，就沒有零用錢，所以我每次都錯過同學的出遊邀請，只爲了回家拿這個禮拜的零用錢。

畢業後，總三申五令要我回鄉找工作，她說，在台北工作賺不了什麼錢，光租房跟生活費就吃掉你全部的薪水，工作了幾年後，還是窮光蛋一個，回家隨便找個公司上班都比在台北強。我沒辦法說不要，也無法說不要，原來長大了之後，父母一句「爲你好」，就可以輕易把夢想的翅膀繼續折斷。所以之後好幾年，同住在一個屋簷下，卻無話可說。

我把青春這副牌，最後打成一堆爛牌，常常都歸咎於她，倘若她沒逼我念商學院，現在我可能是個設計師，倘若她沒叫我回家找工作，我的職場生涯不會跌跌撞撞，所以三十歲那年，想靠著遠行，找回自己愛笑的靈魂，沒想到也找回了跟她之間的橋樑。

她怕我在國外沒錢花，急忙問我怎麼轉錢過去給我，

我在國外想念她煮的菜，還有那些嘮叨的叮嚀，

人，總是要在失去彼此之後，才知道珍惜。

從小，我就很羨慕別人的母親，別人的母親溫柔大方，別人的母親善良體貼，別人的母親漂亮美麗，別人的母親總是會幫孩子慶祝生日跟節日，別人的母親會買各種禮物給孩子，別人的母親，始終是別人的母親。

我的母親不稀罕節日，不喜歡花朵，不愛花錢，不喜歡裝扮自己，也不太會買禮物送給小孩。曾經我告訴自己，以後千萬別做這樣的母親，但長大之後，卻逐漸把自己活成了她的樣子。過得舒舒服服，不在意外界眼光，不需要孩子拿什麼禮物回家，不需要特別幫她慶祝什麼節日，不需要在她最需要的時候陪伴身旁，她說：「我的生活會顧好，你自己顧好自己生活就好。」

前陣子旅行途中，朋友問：「你不會想成爲母親嗎？」我說：「不會。」

我能把這一生過好，不偷不搶，不惹麻煩，就是給母親最好的回報。但，我沒辦法期待下一代，也不想去負擔。

亞洲 泰國 / 清邁

因爲這幾年常出國，大概有一半以上時間都不在家，所以也特別珍惜待在家裡吃她煮飯的日子，我說：待在家每一天，就是母親節，我當一個廢物女兒，就是最好的禮物。媽媽則每個禮拜都會回去看九十多歲的外婆，她說，這就是她過母親節的方式。

過了四十歲，我不再羨慕別人的母親，畢竟，別人母親再好，也是別人的母親。

倘若有人問我：「這輩子當不了母親，不遺憾嗎？」我會回：「不會，我有一個優秀的母親就好了。」

7 人活在世界上，不可能什麼都兼備，什麼都會

「你可以告訴我，怎麼邊工作邊旅行嗎？」

對嚮往成爲專職旅行者的人來說，時間不是問題，體力也不是問題，問題是持續旅行的錢從哪裡來？事實上，我也困惑好幾年，找不到答案。

結束國外打工度假後，身上大概只剩下五萬塊左右的台幣，沒有足夠的預算去環遊世界，索性決定用背包客窮遊的方式玩轉東南亞。一路從新加坡玩到馬來西亞、泰國跟柬埔寨，一個半月只花了三萬台幣，無論在吃的住的方面都極爲節省，常常爲了省一百塊錢住宿走路兩三公里，住在沒有冷氣的青年旅館，一晚大約一百台幣，吃泡麵跟路邊攤果腹。

即使已經用了最節省的方式窮遊，但每天醒來一睜開雙眼，仍要爲三餐而煩惱，我在旅館中遇見環遊世界旅行者，都會不自覺問這些人：「你們怎麼準備長時間的旅

費？」

絕大部分的旅行者都是辭掉原本的工作，準備足夠的錢才出發，從數十萬到百萬金額，旅程從三個月到兩年不等。事實上，每個人都是有計畫的歸期，他們也表示，旅程結束後還是會回到職場工作，大概必須工作幾年才存到下次旅行出門的旅費。

我反問他們：「你們熱愛工作嗎？」他們則表示，絕大部分的人都是被工作所選擇，都是巨大社會機器裡的齒輪而已，工作僅能讓人賺到基本生存的開銷。能懷抱夢想在工作的人極為少數，而類似的工作也極為稀少。

旅途中，我碰幾個邊賺錢邊旅行的環遊世界背包客，他們會在當地夜市擺攤賣藝，在路邊畫畫賺旅費，在廣場表演歌唱或才藝，還有靠幫人按摩、教英文、煮咖啡、剪頭髮、電腦設計的旅人。我問他們：「這樣可以支撐你所有的旅行開銷嗎？」得到的答案八成是「不可能」。

他們表示，並不是每個城市都可以讓你用街頭賣藝或是擺攤的方式賺錢，也不是每間公司都願意讓員工遠端工作，你必須嘗試用各種方式增加收入，用一技之長換取更多旅程的時間與空間，並減少旅費快速的耗損。

不可能完全不花一毛錢去旅行，而是懂得用自己的特長去交換，並找到技巧讓這一塊能被商業模式接受。

剛踏入背包客領域的我就很認眞思考，是否有任何一技之長可以在旅途中賺取額外收入？左思右想，眞的一個都沒有。專案管理工作是團隊合作，無法跳脫職場額外增加收入，其餘的專長都是半調子興趣，閱讀、繪畫、追劇沒有一個技能有辦法直接變現金，重點是沒自信，冒名頂替症候群。

所以，結束背包客旅行回家不到一個月，我就拍拍屁股回職場工作，做的還是一樣的專案管理，寫的還是同樣的系統分析書。但充滿不甘心，難道一切都結束了嗎？又回歸一攤死水了嗎？接下來繼續上班下班，假日加班，相親結婚生子？

我對未來有諸多疑惑，也想找出更好的方式兼備夢想與生活，於是嘗試寫作、繪圖、學煮咖啡、辦旅行講座、下班報名各種五花八門的才藝課。沒多久就迎來一個契機，有出版社詢問我出書意願，將紐西蘭打工度假的日記寫成一本書。

我大概興奮了半天，卻猶豫了一個月，因爲患有冒名頂替症候群，即使完成了旅途，也有完整眞實旅程記錄，卻認爲自己沒有資格。首先，我並非出身中文科系，文

ADRIANO CELENTANO
DURAN
DURAN
BOB DYLAN
POLICE
Markovic Gut Sextet

歐洲 塞爾維亞 / 貝爾格勒

學底子涵養薄弱，能寫出一篇直白的記錄，卻不見得是拿得出手的優秀文章。同時，也非打工度假同行旅行者中的佼佼者，沒有賺到百萬收入，也沒有從事特殊職業，更沒有玩出名堂。好在當時出版社編輯沒有放棄，鼓勵我做個人生紀念，抱著此生只有一本著作的心態硬著頭皮去寫，過程中克服了無限循環的自卑與懷疑，完成了《紐轉人生》這本書。

第一本書銷量沒有很好，但我仍持續保持寫作的習慣，不停地投稿，不停地修正造句，逐漸讓文字成為一技之長，也讓人認可我在寫作這方面的努力。事實上，我是在出第五本書後，才稍微有一點自信。只不過，有一好沒兩好，我逐漸放棄了繪圖，當文章寫得越好的同時，也失去了繪畫發展的能力。

曾經有人告訴我，你不畫畫，好可惜。我回他，沒什麼可惜，人活在世界上，不可能什麼都兼備，什麼都會，只要有一個拿得出手，那就很好了。

倘若有人要我私相授如何成為網紅、旅行家，我會回：「去書店找。」

自助旅行，就是學習甘願被騙跟學會不被騙

這個世界不是每件物品都有明碼標價，也不是所有商品價值都符合上面的標價。當你有即時需求，即使標碼價格再高，無其他選擇餘地，閉著眼睛也只能現場買下它。例如旅行到了一個極寒之地，外面零下二十度，行李只裝著幾件薄外套，此時機場免稅店只剩下一件醜到爆，尺寸不合的羽絨外套，你也顧不了美醜，只有買下去，接下來旅程才能走下去。

買了，不會覺得被騙，因為不買，接下來的行程就會泡湯。

當你對某件商品一見鍾情，認定沒買下它，接下來好幾日都吃不下飯、睡不著覺，即使要付出高額的代價，也許是好幾個月的工資，可能是年終獎金，然而在著魔的瞬間，一切無法顧慮太多，只想即刻擁有它。衝動消費的是一種感覺，會讓人有瞬間贏得全世界的勝利感。

買了，不會覺得被騙，因爲不買，無法彌補內心空虛。

什麼時候會覺得買東西被騙？通常是還有選擇的空間，這不是必需品，也沒有很喜歡，考慮下一間可能會更便宜。最終發現商品內容跟實際貨物有出入，或是購買當下，商家告訴你全部價格五十元，最後結帳是一百元。

旅途中，我最常跟店家溝通的第一句話就是「老闆，這多少錢？」不管是一瓶礦泉水、一個冰箱貼、一包衛生紙、一碗麵，我都習慣先問了價格，再決定要不要購買，有時候覺得不太合理，我就會去問第二間，第三間同樣的物品。倘若買貴或是買錯，或是被商家欺騙，就會懊惱一整天。

即使每次都小心翼翼，我仍然敵不過全世界各式各樣的騙子，儘管再三確認價格，再三確認內容，再三要求品質保證，還是無法逃脫這些騙子的各種手法。

在印度跟埃及，幾乎醒來的每一天，都要跟各式各樣的騙子鬥智鬥勇，我以爲用三折買到最低價，但過了另外一條街，就會發現還有更低的價格。騙子們會用各種話術、手段騙你進小店，不停推銷各種商品，並告訴你「錯過這間店，就沒有下一間」。然後等到回到旅館，發現商品被掉包了。

南美洲 祕魯 / 庫斯科

在埃及紅海旁的潛水店，我問教練：「爲什麼會有兩種價格？你收我潛水四百，標價上卻寫二千。」教練馬上說：「那是給歐美人的價格。」心想，要不還好我有問同行的人，不然也當了冤大頭。

在埃及盧克索搭熱氣球，入住旅店時，櫃台人員問我明天要不要搭熱氣球，我告訴他已經在前一個城市時跟當地旅行社訂購。他問我價格是多少？我回答一個人六十五美金。他笑說，你怎麼會去其他地方訂購熱氣球，你跟我訂只要四十五美金。我表情充滿無奈，雙手一攤，無可奈何。

買了，就要有被騙的心理準備，因爲不買，就失去了體驗。

逐漸，我不會爲了被騙而耿耿於懷，被騙也是旅程的一部分，總歸而言，不管是旅行社、紀念品店、計程車司機們，都只是爲了多賺一點錢而「忽悠」觀光客，與其爲了失去的錢整日悶悶不樂，不如換個角度想，這回合我又輸了，下回合記得注意點。

有次在泰國麗貝島找一間路邊攤吃牛肉麵，或許是因爲太熟悉當地，沒有問價格就坐下點了牛肉麵跟雞腳麵，我心想頂多就是八十到一百泰銖，不過結帳時他卻收了三百泰銖。離開時，我一直跟旅伴抱歉，畢竟事前我沒有確認麵類價格就點餐，也只能吞下這口氣。

隔日我從麗貝島搭船到蘭卡威，一出機場就一個計程車司機問要去哪裡。我問他：多少錢？他說：十塊馬幣。我覺得合理就答應了。其實我也根本不知道當地行情價格，只是覺得這個價格我能接受，順便預約了明天的接送，也是十馬幣。

因爲沒有預期多少費用，也沒有比價的餘地，就覺得找到很好的司機，心想就算貴一點也很值得，也甘願被騙。以前總覺得歐美觀光客是「盤子」，被收很貴的價格不自知，後來發現他們只是沒有「性價比」的空間，對於他們來說，只要合理就可以。

合理是環境生活水準比價出來的，不是費用本身，當然沒有人喜歡當「冤大頭」，只是旅行時你會刻意告訴自己「沒關係，這就是旅行而已」。

曾經我是錙銖必較的窮遊背包客，預算有限時只能斤斤計較到處殺價，一個晚上二百元的住宿還被我殺到一百元，或許對於旅館老闆來說，我也是討厭的奧客。後來口袋有點錢，就也不在意幾十塊差價，甚至更願意付出小費。

喜歡的生活是體驗出來的，不是比較出來的，自助旅行，就是學習甘願被騙跟學

會不被騙，然後不再糾結害怕「被騙」，畢竟下一回合，還不知道誰輸誰贏。

倘若現在有人被騙很生氣，該怎麼安慰他？我會回：「生氣跟哭如果有用，那幹嘛叫警察。」

非洲　埃及／紅海

如果當年沒有分手，我應該也會離婚吧！

有天我開車經過某一條熟悉的巷子，看到某一間餐廳，那是我與某一任前男友最常來的店，我還記得裡面的擺設裝潢，也記得我最喜歡點的那幾道菜，也記得老闆娘的笑容，但就是想不起前任的姓名，也想不起他的臉到底長什麼模樣。

以前，是眞的很愛過，所以痛過，吵起架來，摔過椅子，捶過牆壁，想過去死，也認爲沒有對方一定無法活下去，明明自己提的分手，哭得最慘卻是我，幾年後，我明白，那不是愛，是自做孽。

人在清醒後，自然就會保留喜歡的，忘記痛苦的，所以連前任名字跟容貌都忘得一乾二淨。再回頭看以前那些哭得死去活來的分手記憶，就想拿一根棍子搭時光機回去把以前的我敲醒，怎麼會這麼想不開呢？

明明對方就是個自私自利的傢伙阿！在一起幾年，就吵架分手吵了幾年。我曾列出上百個雙方不適合在一起的原因，夜深人靜時也思考過眼前的他適合共度餘生嗎？很明顯，劇本就是悲劇。

兩人走不同路，他奔赴著事業去，我奔赴著婚姻，他忙著工作，我的生活卻只圍繞著他打轉，他給了一堆沒有兌現的承諾，我每次都等到心寒，於是一言不合就開始冷戰，接著兩三個禮拜完全不聯繫，每天晚上雙眼紅腫，各種胡思亂想，最後受不了傳了訊息說分手。

下了通牒後，沒多久他就會來請求復合，哄哄我，承諾將來會多一點時間給我。我知道，感情這種事沒有對錯，只是好怕青春浪費在一個人身上，一切付出都不會有任何回報，畢竟沒有女人有第二個青春。

年輕的我太想穿上純白的婚紗，每參加一次朋友的婚禮，就像預演一場排練，總想著宴會廳門打開那一刻，我緩步走在紅毯上走向他，那該是一個女人一生最美的時刻，即使知道對方不是好丈夫，卻仍然義無反顧朝結婚兩個字奔赴而去。

年輕的我嚮往一個盛大的婚禮，但婚禮不是一個人的事，也不是兩個人的事，是兩家人的事，除了婚禮宴客那一天，還有歸寧、娶親、下聘、度蜜月，需要很多錢來籌辦。

畢業工作後我就努力在存結婚錢，只是等不到他的求婚，等不到穿婚紗的那一天，在他明確表明沒想進入婚姻後徹底分手，我拒絕他的復合，也結束了幾年來的掙扎。

一方面覺得解脫了，一方面是心有不甘，

一方面失去方向了，一方面是不知何去何從。

沒幾個月，辦公室同事問要不要介紹對象給我，在新竹科學園區工作，薪水很穩定，人也很好相處，對方也是想結婚的。

兩人約了咖啡廳見面，結果話不投機半句多，

人還在，靈魂不在，心想到底爲什麼要和彼此挑剔的陌生人過一生？

後來，索性就把多年存下的結婚錢都拿去當出國旅費，心想與其花在一場婚禮，不如全部花在自己身上，吃光花光玩光也不要帶回家。沒想到，就是這一場旅行，改變接下來的一生。

朋友問我，如果當初對方答應妳結婚，現在還會去旅行嗎？

我笑說，如果跟前任在二十多歲時結婚，現在我可能是兩個孩子的媽，但還是會離婚。相信婚前無法做自己，婚後生活更是。最後大概是爲了某個莫名其妙的小事提

離婚，類似牙刷放錯位置、電視壞掉怎麼沒有修，因爲吵吵鬧鬧久了，心太累了，不想要再繼續累一輩子下去。

如果跟當時相親的竹科工程師結婚，也還是會離婚，因爲我不相信眞摯的感情眞的能在婚後培養，兩個人婚前都彼此挑剔，婚後大概也是如此，我也不想再活回愛情女奴的生活，最終可能還是因爲個性不合，離婚收場。

我曾經歷失戀、失業、失去自我三階段，你以爲過不去的，就是一個坎而已，時間一久，坎就不是啥問題。有天，你發現，沒有戀愛，沒有事業，沒有朋友，沒啥了不起，過去種種都是每個人的西天取經之路。

這一代如此輕易離婚，眞的不能歸咎是女人的問題，我們沒辦法活得像上一代父母一樣，爲了孩子跟家庭忍氣吞聲，尤其清楚接下來再也不會變好，那爲什麼還要彼此用下半輩子去煎熬。

那些你曾在意的，終將轉眼雲淡風輕，如今我所在意的，也即將變成雲煙，如今還保持單身的我，不想用手指頭算，又過了幾個單身年，認爲把一個人日子過好，比渴望別人將來的日子對妳好，簡單很多。無論有伴無伴，日子最終都要跟自己過，那麼不論別人怎麼看，都要把日子過成自己喜歡的樣子才是正確的。

婚姻，不見得適合每個人，

單身，卻是可以保持到很迷人。

倘若現在有一個人跟我求婚，我會回：「我頭沒昏。」

亞洲 馬來西亞／新山

你是職場工具人嗎？

10

有一年冬天跟朋友去韓國大邱旅行，八天都在城市裡面漫遊，也住在同一間旅館，我觀察路上大部分行人外套都穿黑色跟深色的，不像韓劇裡面都是螢光桃紅或是亮黃。城市住宅外牆大部分也是灰灰藍藍，有總說不出壓抑感。於是問了旅館老闆崔姐說：「韓國工作的職場是不是很可怕？」崔姐回說：「在韓國，大部分都是職場工具人。」

我反問：「什麼是職場工具人？」

崔姐娓娓解釋：「當我們爲了職場生存去學習技能，並不是因爲自己興趣或喜好，那麼做那些技能的人就叫做職場工具人。」

她表示大多韓國人都是職場工具人，爲了能在職場生存，拚命努力，但卻少了快樂。

那我又問：「那怎麼樣不算是職場工具人呢？」

她說：「你做自己喜歡的興趣，應用在職場上就不算。」

例如，你喜歡設計，所以在設計公司上班，得到主管的信賴，這就不算。倘若你原本不喜歡設計，然後爲了一口飯吃去學習，做什麼都不是打從心裡喜歡，只是爲了薪水，那就是。

瞬間我掉入了回憶，曾經夢想站在精緻辦公室呼風喚雨的我，十年後變成專門在找系統 BUG 的專案管理師，不是在電腦螢幕前，就是在擁擠狹小的機房裡，不是在找程式 BUG，就是在重灌主機，跟一群沒有生命意義的系統代碼作戰。

以前，我也是痛苦的職場工具人，商管學院畢業後投身社會，成爲乏人問津的職場新鮮人。因爲沒有工作經驗，求職路幾乎處處碰壁，面試老是被打槍，好不容易得到一間公司聘用，殊不知困難的職場打怪之路才正要出發。

正因爲什麼都不會，所以什麼都要從頭學起，資深老鳥寫企劃書是半天，我寫了整整一個禮拜，改了無數次，最終還是被主管退件。每天都在跑客戶，跑公文，跑銀行，隔壁座位資深同事不想做的，身爲菜鳥的我都必須做。

所以剛入職那幾年，常常陷入自我懷疑。我眞的適合這份工作嗎？這份工作值得我繼續努力下去嗎？不到幾年又換了下一份工作，換來換去，換到都是更爛的公司，更爛的老闆，更爛的工作，自信心完全潰散。

爲了證明自己沒那麼爛，也奮發圖強學習進修，因應目前工作內容需要，報名各種補習班，書架上擺滿各種工具書：如何架設主機，如何製作網頁、第一次 CSS 編排就上手。不懂就問部門的工程師該怎麼做，逐漸，我從不會看程式代碼到可以抓程式 BUG，從不懂系統架構，到懂得各種系統規格差異。

爲了能在職場生存，還報名參加各式各樣研討會。除此之外，還要學習人情世故，學會討好主管，討好客戶，努力維持各部門同事間和睦，做足各種表面關係，才能不被隨時天外飛來的小人箭術直接命中要害身亡。

只是在社會染缸待越久，就越感覺自己像跳樑小丑，擁有生存技能與見人就笑的百變面具，卻喪失夢想，也沒有了主見，還深怕被新人取代，感嘆長江後浪推前浪，很快我就要死在沙灘上。

因爲過去所學，只是爲了生存，就像長久以來硬吞難吃的料理，明明不想吃，還

南美洲 玻利維亞/烏尤尼火車墓地

是必須吃，能吃飽，卻不能吃好，接著速度越來越慢，也越來越抗拒。萌生了退意，卻也不清楚下一站去哪裡，害怕被資遣，也找不到人生下一條路。

我在三十歲那年，逃離職場跑去國外打工度假一年，找回了熱情，也想繼續旅行，過了三年，我帶著身旁各種冷眼與不看好，告別汲汲營營十年的職場生涯，說不後悔是騙人的，畢竟舒適圈待久了，也怕一離開原來混的好魚缸，一游回大海就會馬上溺死。

我跟崔姐分享過去十年的職場工具人故事，如今已經完全忘記怎麼抓 BUG，灌主機，寫系統文件。離職後這十年則努力經營旅遊部落格，演講，寫書，創造出屬於自己的花路。這幾年也總算闖出一點成績，也慶幸當初選擇離開，終於不用為了吃難吃的料理而忍耐各種職場霸凌與不公平，不需要一再重複討厭的工具人生活。

在大邱經營旅館的崔姐，曾經也是韓國某大學的中文教授，我沒有問她為何教授不當跑來開旅館，但她後來知道我的身分後，馬上遞出邀請函說：「你是旅遊部落客，不然你幫我賣房間，反正我也要給那些平台錢。」我笑說：「什麼？」

崔姐說：「一直旅行也是需要錢啊！我需要客人來住宿才能賺錢，我給那些旅遊平台賺中介費，不如你來幫我推薦旅館，也可以從這裡賺一點旅費，不錯吧！」

一開始想著挺不錯，後來還是拒絕了，但發現現實社會有很多種賺錢的方法，只要找到對的方向，願意付出，就會有相對應的回報。

旅途中，我偶爾喜歡跟不同的陌生人聊天，會發現人生不只有一種活法，順著你喜歡的，嘗試不同的走法，總會有一種，你可以完成的。

倘若現在有人要給我工作機會，我會回：「不需要。」

Chapter 3

立下界線，日子變得好過

南美洲 玻利維亞/烏尤尼

面對不友善的人，我不會友善的回覆

人生哪有什麼目的地，旅不旅行都只是人生一場感官體驗的疊加，既然選踏上旅途，就必須面對各種騙子與不良分子的圖謀不軌，既然突發狀況是旅途必經過程，只要謹慎小心，總有方法解決一切，面對危險不安狀態，也越發知道該怎麼應對。

在巴黎羅浮宮前拍照，突然前方一堆吉普賽人衝過來問你要不要做問卷，一看就是個坑，我直接不慌不忙，提高聲量大聲說：「NO！」一群人看妳不好惹，馬上一哄而散。

在義大利米蘭的地鐵站，常出現三五結群的小偷們靠製造混亂來搶遊客的錢包與證件，察覺不對勁的我馬上躲到角落，顧好胸前包包，不讓人接近我。倘若有人靠近，也會推開他們說：「OUT！」

面對不友善的人，我不會友善的回覆，面對「偽善」的人，也不需要配合演戲，這些年我受夠了一種人：不認同，就要批判你，你不接受，還要教訓你。

有次在網路上發表一篇文章，就收到網友回覆「心胸開闊點，才能容納別人的觀點，身爲作家就應該有作家的格局」。看完這兩句話，白眼翻到天邊去，心想是誰跑到誰地盤上叫囂，還要別人大器，容納他人的放屁，還得尊重他自以爲是的言論。作家，這職業到底是多高尙，讓人覺得非要有容納雜魚死蝦爛腸的脾氣。

也發現某部分人習慣自言自語、自說自話，完全沒有想聽別人的意見，問別人問題也只是想問，完全沒有想聽答案，更沒有想過自己的提問有沒有問題。成長路上，總是會有各種指教，最不缺的就是以自己爲出發點，認爲別人都該怎麼樣的人，專門跑去別人地盤大小聲，也沒有要聽別人解釋，還不明白這樣很沒禮貌！

有次我不小心在香港機場拿錯行李，到了旅館才發現，於是把這段經歷分享在網路上，並告訴網友如何聯繫機場工作人員，該怎麼快速將行李還回。結果有網友直接轉了文章，留言說：「非常無恥，拿錯別人行裡還嬉皮笑臉，沒有愧疚感。」

第一時間，我先封鎖這位「不速之客」，接下來就進行反擊，當初我在發文前就心想：「有必要寫出來給別人罵嗎？」但當下認爲，每一個人都會在旅行發生意外跟犯錯，如實面對問題，以及當下找到解決的方法才是最重要的。不過那篇還是引來許多正義魔人論戰，好似他們的行李被人拿走一樣，直接對我開罵。

不是自助旅行達人就不會犯錯，不是使用 Google Map 就不會迷路，不是訂了機票航班就會正常起飛，不是你覺得世界該是怎樣，就是怎樣。當你決定踏出門，意外就會發生，只是早到跟晚到而已。當我寫出來檢討自己，還要被人罵無恥，心想這人眞是夠了，對於那些不喜歡我言論的人，我也想說：「我也不喜歡你們。」

既然某些人可以不分青紅皂白網路亂噴，代表現實也不會好相處，善用封鎖刪除，未來就少了一個酸民同行，畢竟酸民沒有要聽你的解釋，更不會想要了解前因後果，說不過人就拍拍屁股就走，與其內耗，不如切割乾淨。

不歡迎各種不禮貌的行爲，我的地盤，沒有要讓人在這裡撒野。面對別人的批評建議，也可以選擇不接受，沒有虛心檢討，沒有感恩戴德；不懂感恩的人，這輩子都覺得你欠他，不懂體諒的人，這輩子都覺得你欺負他。最好的對待，不是想盡辦法讓他改邪歸正、你又不是老師，更不是佛祖，不需要渡化任何網友，而是學會冷淡。

人，為什麼到後來，都冷淡了，因為，想清楚了，不入局就不會當局者迷。不要隨便站在別人立場想，畢竟，別人也沒有為你想。

倘若現在有人來到我的地盤挑釁，我會回：「滾出去！」然後封鎖。

當初怎麼有離職成為作家的勇氣？

某次講座結束前，台下讀者問我：「當初怎麼有離職成爲作家的勇氣？」我告訴她：「離職不需要勇氣，當你認定這份工作沒有未來，自然會尋求替代道路，一張離職單，瞬間海闊天空。不離職才需要勇氣，背負該死的責任感，無聊的道德綁架，明明有更好的出路，卻仍在爛人爛事的泥巴堆裡掙扎演戲。」

三十壯遊遠行歸來後，我對於職場的思考徹底有了一百八十度轉變，即使回到原本職場，也不想再過著日以繼夜，以老闆馬首是瞻的工作態度。換過幾間公司，經歷幾年相處，我發現絕大多數老闆都喜歡畫大餅，承諾底下員工美好的將來，但往往出爾反爾，搬石頭砸自己腳的，也是老闆本人。

職場，必須過得戰戰兢兢，八面玲瓏，同時要揣摩上意。面對不合理的要求，只能表面婉轉答應，實際無能擺爛。爲什麼不直接拒絕老闆的要求？因爲絕大部分老闆都沒有聽實話的氣度，希望用最廉價的飼料，養出最精壯的馬群。一旦成功，都是老

2

闆的慧眼識人，知能善用。一旦失敗，是底下員工的問題。

職場混跡多年，早看清各種職場上莫非定律，也想過千百種待下去或離開的理由，最終都只是因爲片刻的安穩，繼續待下去。

那爲什麼最終選擇離職？

第一，看不見薪水有漲幅的空間，也看不見職場升遷的可能。倘若不甘心繼續領這份薪水，就只能換條路走，有這份領悟，明白眼前職場端的這飯碗，將就一點，是能吃得了一輩子，但不想將就，就必須另覓他途。

第二，有其他退路可以嘗試，利用這幾年工作存下來的人脈跟存款，嘗試一些過去想做卻沒有能力做的項目。我曾想過開早餐店、開咖啡廳、開書店、開著胖卡車賣咖啡，沒想到最後變成了自由旅人作家。

在利益爲上的公司中，即使辦公室裡只有三個人，也可以演成心機深沉的宮鬥劇，想到以前工作，年底就是最忙的時候，要計算報表，要上台報告，要繳交明年計畫，還要討論尾牙；期待年終，也害怕沒有年終，期待尾牙，也害怕要上台表演，一年過完一年，看不到盡頭。誰的職場不憋屈，想到曾經被刻薄的感覺，仍背脊發涼心有餘悸。

離職的決心，取決自己。

要不要離開一個爛人、爛公司、爛家庭、爛環境，也取決自己。

離開的人永遠心懷僥倖，沒離開的人也只能留下來演戲，的確，戲演久了，舞台就是你的，那些在舞台稱王的，往往忘記，這也只是一齣戲。之前，常會有網友用訊息問我：「該不該離職？」我都不會給出明確的答案。因爲離職之後，你可能要面對下一家公司，下一個老闆，下一群同事，重複著上一間公司的相同戲碼。

公司跟同事，都是人生路上短暫的過客，因爲生存才聚在一起。請清楚你想從這間公司拿到什麼，是資歷還是經驗，是薪水還是福利，是短暫還是長久。離開這間公司的你，是否有能力跟底氣去更好的工作，或是創造屬於你的事業，找到自己未來的藍圖。

至於爲什麼轉型當作家？大概是在嘗試不同退路時，發現這條路特別適合我，既可以分享旅途點滴，也可以賺取版稅，還能被邀請到許多場合演講，有效支撐我走遍世界的夢想。

倘若現在你想離職，我會回：「自己想清楚，就可以。」

ABOUDI BREAK
ABOUDI BREAK
Restaurant & Cafe
ABOUDI BOOKSTORE
www.aboudi-bookstore.com
Grand Shop
جراند شوب
ABOUDI
BOOKSTORE
Coca-Cola
Coca-Cola

非洲 埃及 / 盧克索

我沒有戀愛腦

有一陣子夜深人靜獨處時，心想：這年紀怎麼不找個對象處處？不試試看，怎麼知道有沒有可能。

不過，放眼望去，周遭異性對象不是已經結婚，不然就是名草有主，還單身的人，大多彼此都保持良好距離，沒有任何曖昧感情。不然以鄰居們三姑六婆亂點鴛鴦的進度，早就處在一起。身邊跟你一樣單身的人，通常是彼此眼中的怪咖，當朋友可以，在一起生活絕對不行。

過了三十歲後，主動追求者漸漸減少，若想脫單，可以參加相親聚會、同歡派對、戶外旅遊活動等。坊間很多單身聯誼社，有在辦各種付費的聯誼聚會，透過條件篩選、見面、約會確認彼此好感，之後步入禮堂，進入婚姻生活。

不過現代人是靠網路吃飯的年代，網戀已經不是什麼見不得人的事情，許多人會先透過交友軟體先彼此認識、聊天，進而交往。當然，你也可以同時跟好幾個對象曖昧，直到對的人出現，才從網海中上岸。不過陌生男女交往，有時候也不是爲了談感情，也會出現肉體需求，變質成爲約砲軟體。

以上方法、步驟，我都知道，就提不起興致去執行，就連出門自助旅行，也不喜歡異性找我搭訕，每次朋友問我：「這次出門有豔遇嗎？」我內心都翻了個白眼，爲啥獨自出門的女性非要有豔遇才算旅行。

我反問：那你呢?朋友就會攤開手指頭，細數哪個時間，哪個城市，哪個酒吧，遇見了幾個談得來的異性，轟轟烈烈的露水姻緣。我則翻白眼說：「零。」

後來才明白一定年紀，身邊有兩種極端的人，一種是戀愛腦，另外一種是沒有戀愛腦。

朋友問我：什麼是戀愛腦?

我說：很享受跟另外一個人生活過日子。

我有個同齡朋友就是標準戀愛腦，年少時有過宛如言情小說般的愛情故事，以爲終於嫁入豪門，最終離婚收場，遠走他鄉，重新生活。離婚後，也有不少異性對象對

亞洲 馬來西亞 / 馬六甲

她示好，她就會考慮要不要跟這個人走下去，像極了愛情電影裡面才有的劇情，她是標準女主角命。每次見面聚會也會問我「怎麼不找個對象？」才明白原來人格特質不同，找對象方式跟方法也會不同。

我認爲，所謂戀愛腦就是渴望有人陪伴，可以從另外一半獲得能量，即使對方可能是個糟糕的人。戀愛腦的朋友，常常會就被異性一個眼神，一個舉動迷暈，接下來完全不管對方各種優缺點就直接往前衝。選得好賽道的戀愛腦選手，最終如願以償，一路白頭偕老，互相依偎。選不好賽道的戀愛腦選手，一路就是坑坑巴巴，活得像是言情小說裡面的男女主角，以爲經歷萬千阻礙在一起的才是眞愛，沒想到最終被現實打敗。

朋友說：你是戀愛腦嗎？

我說：一個巴掌拍不響，通常要兩隻手，我屬於誰來都拍不響的那種。

不是沒有碰到心動的對象，只是每一次心動之後，半夜就會開始沙盤推演接下來的發展，約會、吵架、繼續吵架，幾乎結局都是兩方陣亡。所以，在想踏出那一步之前，直接投降。

年輕時，還有勇氣跟青春去跟一個陌生對象磨合，共同經營下半輩子的生活。隨著時間推演，來到某個人生階段，不用依賴另外一個人，人也可以把生活過成自己喜歡的樣子，那爲什麼要搬石頭砸自己的腳呢？中年到老年這段路，我想把時間都浪費在美好的生活上，去旅行，去享受美食，去認識有同樣目標的朋友。懂得一個人生活，也有無數親友陪伴，那爲什麼人必須要經歷曖昧不明又抓馬的日常？

倘若有人問我爲啥還單身？我會回：「我沒有戀愛腦。單身一輩子，不是什麼可怕的問題。」

不要羨慕我，我也很努力

經常會人有問我：「你去過幾個國家？」我也毫不掩飾的說：「至今八十八個。」有些人就會驚呼說，哎呀！這世界大部分國家你都去過了吧！聽到這句，我就會立即嚴正聲明，我只是一個喜歡旅行的人，去過的城市還是很皮毛，走過的國家還是很粗淺，還有很地方多沒有去。只是比起一般人來說，因爲選擇自由彈性的工作型態，才有比一般人擁有更多時間跟空間去探索世界。

也有不少人會告訴我：「我好羨慕你的生活。」

聽到「羨慕」兩字，並沒有覺得自己好厲害，高其他人一等，腦海中浮現出一幅幅畫面，大多都是披荊斬棘，以及絕境逢生的煎熬。只能淡淡回：「不要羨慕我，我也很努力。」

人生這條路，誰不是默默在努力，亦步亦趨的往夢想邁進，只是，大多時候沒有

4

非洲 摩洛哥 / 撒哈拉沙漠

人關注你，也沒有人在乎你，直到你終於慢慢有了一點成績，慢慢被人看見，正以爲終於證明自己的能力，沒想到迎面而來是各種無情的嘲諷跟質疑。

還記得出第一本書，上廣播電台宣傳新書時，主持人問我，壯遊回來的夢想是什麼？我毫不猶豫說，想繼續環遊世界。她有點不解問我，你不是剛壯遊歸來？不是去了十幾個國家？我告訴她，世界很大，我希望將來有時間跟能力繼續探索它。

當時，我仍然是一個朝九晚五的上班族，靠著每個月的薪水結餘買廉價航空機票出國旅行，兼差寫旅遊書也無法賺足夠的錢去環遊世界。也羨慕著那些能邊工作邊賺錢的旅行者，不用綁在同一間公司，一個職位，日日夜夜埋在處理一堆回不完的信件裡。

後來，我辭職了，過著沒有薪水當靠山的日子，以爲終於可以踏上旅途，沒想到更多是無中生有的謠言，以及莫名其妙的毀謗。一句話，抹煞了你多年的堅持，否定你所有的努力，少量的惡意，易累積成巨大的怪獸，沒有強大的內心，是無法承受。

我背負很多莫須有的惡意，永遠忘不了別人說過：

「她憑什麼出書，比她厲害的人太多。」

「她憑什麼開講座，只不過去了幾個國家。」

「她憑什麼教人旅行，都是吃不好住不好。」

以前，我會想拚命的解釋，後來發現，不管我說什麼，做了什麼，討厭我的人，不會改變對我的想法，只有走出屬於自己的道路，把日子過好，把旅程走的精采，把書寫好，才是狠狠打臉那些人的嘴臉。

我很喜歡《小王子》這本書，書裡有很多名言，提及所有的大人都曾經是小孩，夜空中星星發亮，是爲了讓每一個人，有一天都能找到屬於自己的星球。其中，我最喜歡這句：「如果不去遍歷世界，我們就不知道什麼是我們精神和情感的寄託，但我們一旦遍歷了世界，卻發現我們再也無法回到那美好的地方去了。」

這些年，所經歷的路人丟完情緒垃圾後就消失無蹤影，我只能調整心情，不能對誰吵，不能對誰罵，將這些別人釋放的垃圾情緒，一個一個撿到垃圾桶裡，摸摸自己的頭，繼續走下去。

所以我不要別人羨慕我，因爲背後的苦，只有我知道，一路走來，披荊斬棘，剩下都是幸運。

也多慶幸，選擇跳脫舒適圈，而不是聽了別人的勸阻就忘記還有夢，在看似什麼都有的三十年歲，選擇一無所有重新開始，去旅行，去思考，去挑戰，去看見，去感受，專注在想要的人生上。

或許追求夢想的過程很容易受傷，面對別人不理解會沮喪，可能也會陷入低潮感到不安。但時間會復原，會消散，撫平你的脆弱，或許你是一個異類，總有一天都會找到同類。

每一次出發，都是為自己贏一次。站在自己想要的舞台，閃閃發光，不畏逆境跟別人眼光。

倘若現在你也想開始努力，我會回：「加油，每一次出發都有義意。」

曾經，我也是離職界燈塔

「我想每個人都必須找到自己的方式。最糟糕的事情是把人生浪費在你沒有激情的事情上。」喬治．桑切斯（Jorge Sanchez）[1]說。

日前有人問我：「爲什麼你叫做離職界燈塔？」

我說：「大概是我對於離職有透徹的沈澱跟見解。」

過去在撰寫網路媒體專欄中，職場文大概佔了三分之一，絕大部分都是鼓勵像我一樣的年輕人，不要糾結在爛公司的制度中成爲一塊扶不起的爛泥，被同事看輕，也作賤自己。

十年前，作爲一個普通的上班族，從踏入職場的第三年開始，就對於未來感到悲觀。三年，是一個循環。基本上入職的前三個月，大致可以把工作八成內容學會，學不會老闆就會讓你滾蛋，接下來一年，就是學職場人際關係跟客戶進退處理。

非洲 埃及／吉薩金字塔

年輕時擁有改變世界的熱情以及熱血，很容易相信老闆畫的大餅，以為只要無限加班奉獻新鮮的肝之後，以後就能買車買房不愁吃穿。兩年過去，更新鮮的肝進來，第三年，你已經經歷無數次被欺騙，背黑鍋。已經學會明哲保身，但卻失去了豪情壯志。

當初，抱著懷抱進入職場，希望能透過努力，擁有未來更好的生活與成就，不只是名片上的抬頭，而是所有付出都能得到合理回報。後來才發現，職場是群體，群體是明規定跟潛規則組合，一個人的努力不足以撼動整個團隊，尤其已經爛到腐蝕的群體。

所以當我認知自己無法改變群體時，工作之餘就去出國旅行，逃避來自職場中的負面能量，只要想到下個月可以去清邁喝咖啡，去京都騎腳踏車，就會讓暗無天日的現實有了光的存在。

不過這一點，不是每個人都能接受，包括我的主管，朋友，家人，以及很多不認識我的人，連路過的網友都很有意見。

「年紀輕輕不好好存錢，只會到處花錢！以後變成下流老人。」

「一直請假出去旅行，造成同事負擔。」

「這種慫恿別人出去玩的風氣，非常不可取。」

「不能一年只旅行一到兩次，以後等退休有錢再去旅行嗎？」

職場，每三年，腦子就會一直出現離職的念頭，又三年，我還是不知道自己到底在努力些什麼，再三十年，我就老了，可能也沒力氣去旅行了。不懂，人一生時間有限，爲什麼「理想生活」要等到退休才能開始，不能邊努力旅行，邊努力賺錢，兩者兼得嗎？

於是第一次離職，第二次離職，每次準備離職期間，都處於天人交戰的狀態，選擇「裸辭」代表除了沒有資遣費外，也沒有額外的補償，資歷歸零，年資歸零，多少人勸我別想不開，我只能默默回：「別問旅行多少錢，就問青春還剩多少年？」

中年離職壯遊後，五年間去了六十幾個國家旅行，這幾年隨著多元發展，每年收入也超過在上班族期間的年薪總和，慢慢走出屬於第二人生的花路。偶爾會碰到幾個陌生人告訴我：「我是你的粉絲，這些年一直看著你的文章，是你給我離開舒適圈的力氣，相信沒有對錯，只是選擇。」

回到家後，內心還是一點小激動，心想平常寫的那些心情廢文，默默讓我成爲離職界的燈塔，給那些徬徨的人們一些勇氣，跨出舒適圈，找回生活的熱情。

倘若現在你也想走出第二人生，我會回：「有嚮往總比渾渾噩噩過一生好。」

喬治・桑切斯（Jorge Sanchez）二〇一七年在「旅行次數排行榜」（The Best Traveled）網站上排名世界第二。他家境貧寒，十三歲時輟學離家出走，從那時起就一直四海為家，曾在澳大利亞的農場、紐約的餐館、秘魯的金礦和其他幾十個類似的地方打零工為生。儘管如此，他還是走遍了聯合國承認的所有一九三個國家，而且到過世界上大多數國家的每一個地區。（參考自《換日線》）

亞洲 中國西藏 / 林芝

為什麼我會變成一個孤獨的旅行者？

總有人誤解獨自旅行的人應該很孤僻，實際上，我想是有那麼一點，不喜歡太過吵鬧，也不想一直被別人的思考拉著走，然而爲什麼會踏上獨自旅行這條路，是不想造成別人跟自己負擔，尤其是心理負擔。

為什麼我會變成一個孤獨的旅行者？

事實上，踏出自助旅行初期一直期待有人跟我一起旅行，過往工作的關係，我非常擅長聊天，與人相處，畢竟過去在擔任專案經理這個職位就是要協調各種人事物，也習慣用生活時事與人切入不同觀點，從來不覺得會走上獨自旅途這條路。

不過，歲月會讓我們挑掉一些不合拍的對象，旅行更是讓人可以認清某些人是否可以繼續做朋友，尤其每個人要的旅行都不太相同，我寧可在旅途中認識新的旅伴，也不太想在出發之前找人一起出遊，因爲不管開心跟傷心，都不想帶回原來的生活裡。

相見恨晚的旅伴，最終我們也只會偶爾相互關心

旅途中我遇到幾個合得來的旅伴，三杯酒下肚徹聊整夜之後有著相見恨晚的情愫，講起相同的興趣彷彿都是彼此肚子裡的蛔蟲，感慨怎麼在世界另一端有人這麼了解我。只不過有一好，就沒二好，同樣都是喜歡拍照的攝影師，都選擇一樣的角度去拍攝世界，某些程度我們因爲彌補了彼此內心的缺憾才覺得合適，況且沒有相處很久，並不會放大對方的缺點，或許就跟談戀愛一樣，激情總是發生在初見時，深入之後才發現相愛那刻只是彼此的鬼遮眼。

大半時候我喜歡在旅途認識旅伴，會把彼此最好的給對方看，隔天醒來後，我們會擁抱，會依依不捨，在短時間內不停發訊息問候彼此狀況，但是過了一段時間，我

們就不再聯絡，只是很偶爾，例如地震或是疫情，才會關心對方還好嗎？不過這個前提是，你還記得他是誰。

鬼遮眼的旅伴，在離開後馬上從人生清單劃除

為什麼會變成獨自旅行者，這也是跟我第一次遇到鬼遮眼旅伴有關係，那時候我細心規畫了整個行程，結果最後中途被人臨時更改，還說那不然就拆夥算了！重點是我們是一起租車去旅行，難道不想繼續的人就直接被拋棄嗎？最終我妥協機車旅伴們的要求，不過那趟旅行我真的很不開心，覺得這趟旅行全毀在這群人手中，每天還要強顏歡笑直到解散，離開後我把這些人從臉書刪除，也從我人生清單中刪除，期許下次有機會要彌補這次不愉快的旅行。

後來好幾次，也跟旅伴處得不愉快，以為是自己的問題，後來才覺得雙方根本就不合，平常聊天聚會都還不錯，但真正出門又是另外一個樣，尤其超過數天的旅行，你可以看見一個人的品行、德行跟自私程度，最怕有些人還在途中跟你借錢，拖了好

幾個月不還，才讓人切心。

獨自旅行後，一個人比一群人旅行來得自在許多

多次旅伴毀旅行的經驗後，決定讓別人毀了我旅行之前，不如選擇自己承擔一切，就算餐廳難吃、住宿太遠、搭不上車，都是我要承擔，不需要因爲跟人分帳兩塊錢，或只有我不吃生魚片而毀了出遊興致，也不需要擔心某人借錢不還，氣急攻心。

不想配合別人演戲，慢慢學著在旅途中走進孤獨兩個字，透過高低起伏的旅程林林總總，把眼睛看的，耳朵聽的，跟內心的另外一個人分享，適應孤獨，不是馬上就可立竿見影，訓練的其實就是思考及判斷。

也有人會問我，一個人旅行到底在幹嘛？難道不無聊嗎？事實上大半時間我在查下一個國家旅行的資料，下一站要去哪裡，下一個城市有什麼歷史古蹟，下一個晚上要住哪裡，下一個交通該怎麼解決？多出來的時間我會跟自己對話，或著什麼都不想，最終明白獨自旅行不是孤僻，是留人生的空白給自己。

非洲 埃及/盧克索熱氣球

孤獨也是一種人生的累積，我在適應孤獨的情緒

以前總覺得別人有的，自己應該也要有，可是當我獨自旅行之後，我想別人有的，我也不一定要擁有，畢竟不應該有的，想必怎麼求也不可得。

如果你身邊有朋友喜歡一個人旅行，不要笑他們不合群，笑他們孤僻，對他們來說，孤單是一種享受，享受著別人投射異樣的眼光，享受與想像對話，想像黑夜把靈魂從身體抽走，在黎明前又回到原來的身軀。

當個孤獨的旅行者，思考靈魂與旅途上的價值

或許，當哪天不能旅行，等到風景都看透，回到家裡一個人生活時，就不會整天想著要去哪裡，因爲比起任何人，你早已經適應孤單的滋味，淡淡的安靜，歲月靜好的魔力。

從一群人走到一個人，適應了孤單的感覺，孤獨沒有什麼不好，一群人也沒有不

好，沒有人必須要犧牲才能得到什麼，也沒有要依賴誰才回到個體，最終都是孤獨的靈魂，學會一個人旅行，就可以一個人瀟灑的過一生。

倘若現在你也想踏出一個人旅行，我會回：「買張機票或車票就出發吧。」

人生的減法與加法

有一次講座結束，台下觀眾舉手發問：「很羨慕你的旅途人生，請問怎麼開始，才能像你這樣生活？」我回：「從減法開始。」

人從出生瓜瓜墜地起，便要面對各種不停的加法：學習功課，交朋友，談戀愛，找工作。不同階段增長不同欲望，想要的只有越來越多，失望的也越來越多，放不下的都裝在一個腦袋瓜裡，最後啥也做不了。

曾經年少氣盛的我，是個追逐生活型態「滿」的小資女，薪水不到三萬，行程滿檔、朋友滿檔、購物車滿檔，滿到一年四季都很忙。隨著身邊單身朋友的死會，進入婚姻，我也交了男友，忙著談戀愛沒空理別人，失戀分手後，整個世界陷入了寂寥。

打工度假是一個逃離現實的好藉口，到了國外後一切歸零，朋友歸零，身分歸零，聚會歸零，購物車歸零，戶頭裡的錢也差點要歸零。為了能在國外待久一點，沒有家

非洲 納米比亞 / 索蘇斯芙雷

人當靠山，存款簿上也沒有金山銀山的我，只能從節省做起。

長時間壯遊，為了節省支出，我睡過火車站、機場、公園、帳篷、洞穴、別人家客廳的地板。以前很愛揮霍，後來發現五星飯店一晚的費用，我可以住上半個月青年旅館的床位。我會收集超市的折扣券，選星期五特價時段去購買，民生用品都只選最便宜的品牌，吐司買最便宜的，倘若看到買一送一的特價品，絕對不會手軟。

海外旅居生活最常吃的就是高麗菜、義大利麵跟雞肉，每一次煮菜都裝滿五個飯盒，每個飯盒裡面的菜絕對不浪費，衣服絕對是穿到破才買，偶爾會買些小小的奢侈品讓自己開心，原則上以實用為主。

在有限度的預算下旅行，我過的是最低限度的生活，看起來窮困潦倒，內心卻擁有了無比的自由，多出來的錢就準備接下來的旅行，也沒打算揮霍享受，學著自己煮，搭便車，沙發衝浪，省一點，就能走多一點，少花一點，就能在國外活得久一點。

旅行歸來後，工作上我也實現減法生活，少聚會、少社交、少花錢在百貨公司周年慶，少看電視、少買衣服，只專注在自己想做的目標上，省下來的錢我都全部拿去國外旅行。當時身邊有些人問我，你哪來的錢去旅行？沒戳破對方的是，你不旅行，口袋的錢也不會少花多少。

人生減法，讓我不再跟身邊的人比較職場抬頭、薪水落差、學歷經歷、家世背景、有沒有買房買車、有沒有股票基金。眾人追捧的一切我都懂，心底明白，那不是我要的生活。當你好幾年都不跟那群人一起攀比，就不會覺得他們口中那些很重要，自然，你想做什麼，就可以去做什麼。

一個階段的人生減法之後，迎面而來是另外一種人生加法，那些被你捨棄的，會從另外一個獲得。

隨著生活圈跟職場的洗牌，朋友篩選到後面也只剩下有著同樣價值觀的人，不存在情緒勒索或是明嘲暗諷，畢竟，不理神經病幾年後，他就會自動消失在生活中。隨著感情跟工作的經歷，明白自己的喜好與能耐，就去設定可實現的理想目標，將手中有限的資產，押注在所擅長的領域，並持續往理想生活邁進。

之前有人問我怎麼不做 Podcast、影音等自媒體，我回答就是：「NO！」也有人問我怎麼不去旅行社當領隊帶團，我回答就是「NO！」

做自己擅長的，去想去的地方，交想交的朋友，買想買的東西，過想過的生活，見想見的親人，為自己的人生做加法：當人生中重心擺在自己身上，未來就不存在失望跟遺憾。

倘若現在你也開始學習減法人生，我會回：「背包窮遊是很好的方法。」

非洲 某個不知名的超商

8

人與人之間，錯過才是正常的

新冠疫情下的兩年，彷彿經歷這世界上最遙遠的距離，以往幾個小時的飛機，就能去任何想去的城市，隨著死亡人數越來越多，各地封城，國界封閉，婚喪喜慶一概停止，醫院無法隨意探視，似乎就驗證人與人之間，沒有想像中緊密。有些人就在這兩年間徹底失聯，好像這輩子就再也不會見面，想找，也不知道從何開始找起。

日前去馬來西亞做巡迴城市演講，第一站安排在新山，我就想到一位很久沒連繫的老朋友Shane，十三年前，剛結束澳洲打工度假，不想直接回台灣當社畜，於是出發前，在澳洲青年旅館的交誼廳裡面努力規劃行程，拉開地圖，先在新加坡放了圖釘，接著打開背包客棧網頁，參考別人的行程規劃。

許多網友建議我可以這樣走：新加坡—新山—馬六甲—吉隆坡—檳城—蘭卡威—檳城—合艾—普吉島—曼谷—北碧—清邁—曼谷—暹粒—曼谷。

於是我開啓到處問人模式，在網路的馬來西亞交流版上詢問：「新山有什麼好玩的嗎？」馬上就有一個網友回應我：「你要來新山，可以來找我玩，我帶你逛逛。」如果換作現在，應該就會認爲是「詐騙集團」，但是在十幾年前，詐騙還沒如此猖獗，背包旅遊還沒被污染，陌生旅人們都是基於「出外靠朋友」這幾個字互相幫忙。當時的我是個極度窮遊背包客，一聽到可以省住宿，整個雙眼發亮，還沒有問對方是男是女就馬上答應，馬上私訊對方，結果對方就說她在新加坡工作，家裡住在新山，如果我不介意，可以住她家。事後我告訴朋友這件事，每個人都罵我「小心被抓去賣了都不知道。」害我整個都緊張起來。

網友說，我到了新加坡後會來機場接我。我心想，如果是個怪人，就要頭也不回躲起來。幸好對方是一個超級可愛的大姊姊，她說自己喜歡到處旅行，也偶爾會把空的房間給背包客們沙發衝浪，也會帶背包客們逛逛新山。以上，當然沒有收錢啊！因爲出外就是要靠朋友！

我待在新山的兩天，Shane 帶我吃吃喝喝，介紹當地的 KOPI 文化，說下次回來還可以找她。後來，我們在柬埔寨的暹粒又再見面，因爲 Shane 說下個月要跟朋友包車玩吳哥窟，我說：「那我可以加一嗎？」她說：「還有空位你要來嗎？」我說：「我要我要！」結果我在吳哥窟五天四夜又是拉肚子，又是感冒，都是一群新山姐姐們照顧我的。

後來，我返回台灣後出書。她說：「你變成有名的作家了。」

我笑說：「沒有沒有，我還是很蠢的背包客。」

後來有一年我把書從台灣帶去新加坡給她，之後她有幾次訊息我，我也有回覆她，疫情的這幾年，兩人完全沒有聯繫，心想這次去新加坡，不知道有沒有機會再遇到她。找遍通訊錄，也找不到她的名字，回去翻網站的對話記錄，內容已經變成空白，LINE 沒有回應，看來她已經沒有在使用這個通訊軟體。

於是我把跟她相遇的故事發在臉書粉絲專頁，不少馬來西亞粉絲就幫我在網路上協尋 Shane，沒想到真的被網友找到，轉達我會去新加坡的消息，輾轉加了彼此新的通訊方式。她告訴我，她現在沒有在新加坡工作，也不住在新山，退休後仍然在四處旅行，這次沒辦法來見我。網路寒暄幾句後就各自祝福，我祝她繼續環遊世界，她祝我巡迴演講成功。

這個世界好像就是這樣子，有些人讓你想起來充滿溫暖，轉身，也不知道，能不能再遇見。再遇見，似乎也不知道該說些什麼。

人與人之間，彼此錯過才是正常的，沒有人應該要等候誰，也沒有人必須要相信誰，命運交錯時讓人相遇，卻沒有重逢的保障，如果沒有一方主動去尋找，那麼彼此永遠只會是記憶交錯於一點的陌生人，即使如此，任何不帶偏見跟期望的靈魂相遇，都是美好的。

倘若現在你有想見的人，我會回：「試著去尋找，但不要抱大期望。」

歐洲 挪威 / 羅浮敦群島

9 旅行發生什麼差錯，都應該不是什麼大問題

我的旅程向來以荒謬出名，幾乎每趟都有災難跟麻煩發生！輕則掉東掉西，掉提款卡、掉衣服、掉錢包、掉護照、掉行動電源、掉鞋子。重則什麼稀奇古怪都發生過，例如被偷筆電、被偷錢包，飛機在眼前飛走，被地勤阻擋不准上飛機，巴士提早開走，半夜在約旦沙漠搭便車；因爲熱中暑進過印度醫院，也拉肚子在藏寺廟醫院開刀房休息，也發生過租用機車拋錨所以搭印度人的便車去聖湖旅行，也有過在珠穆瑪朗峰基地營不小心高山症發作，好幾次半隻腳踏進鬼門關，結果安然無事走出來。

旅行，就是會碰到各種意外，我也接受意外原本就是旅行的一部分，既然決定出發，就必須做好所有最壞的打算，見招拆招，遇到問題，就解決眼前的困境，解決不了，那就直接跳過問題，不解決也是一種辦法。

多年前，我正準備從清邁飛往曼谷素萬那普機場再到麗貝島，旅伴突然傳來訊

息：「雪兒，我記錯起飛機場……我買到從素萬那普機場起飛的班機，但我人在廊曼機場……然後我也趕不過去……。」我再三確認：「我貼給你的航班不是從廊曼機場起飛那班嗎？」旅伴表示，她就是買成了素萬那普機場起飛的……。

如果你從網站搜尋「曼谷」飛「世界各地」，通常會有兩個機場，代號不一樣，位置也是十萬八千里。由於我航班快要起飛，她也確定丟失一張機票，她說：「我會趕快再買一張機票，等等我們素萬那普機場見，應該是下午那一班。」

等我下飛機後，立馬問旅伴在哪？她表示人還在廊曼機場。我心想，兩小時前你在，怎麼兩小時後你還在？她才解釋自己剛刷了一張機票，但等了半小時信箱都沒收到票，詢問線上客服也是陷入鬼打牆狀態：刷卡成功，但卻沒有機票。

我說：「因爲你刷的是當天的機票，有時候飛機位置只剩下一、二個，因爲付款時間差很有可能沒買到機位。」之後我再幫她查了航班，幾乎從曼谷飛合艾當天機票價格都是平常兩倍以上，不然就是全滿。我問她：「要不你放棄來泰國南部，繼續待在曼谷，我去取消島上住宿好了。」

她說：「不要！我想去啦！」

亞洲 寮國 / 萬榮

於是我建議她先做幾件事情。

第一，確認合艾回曼谷的回程航班有效。

第二，確認明天航班可以，直接購買。

第三，我多住一晚合艾，隔日再一起去島嶼。

第四，全都處理結束後去按摩兩小時。

抵達合艾後，我搭乘小巴來到市區中心，找了一間簡單的住宿，詢問了櫃檯是否有島嶼接送車服務預定，結果每天只有早上八點一班，旅伴則是接近中午才會到，我只好求助清邁旅行社的台灣老闆五百大，問他有沒有解決方法。

旅行中，發生任何問題都是有可能的，所以對於旅伴烏龍事件，我並不覺得哪裡有問題，因爲換作是我，也可能會發生，最要緊不是對誰究責，而且找到最合適的解決方案，只是人在異鄉，很多事都不知道該找誰處理，能找誰解決。所謂的「背包客精神」就是不怕犯錯，只怕沒有出發；不怕問題沒有處理，只怕一直處理同一個問題。最後正在想辦法時，清邁的里長伯五百加急快線傳一封訊息：「解決了！」

我問：「什麼解決了？」

他說：「你跟你朋友的接駁問題，一早車子先去接你，然後再去機場接你朋友，之後一起搭船。」

一聽完我眼淚都快要感動到掉下來，馬上跟旅伴說：「一早荒唐至極，下午撥雲見日，我們不用改住宿，一切如期出發！」並說錢能解決很多問題，但好的人脈能幫你解決更多問題。另外，我也安慰旅伴：「沒事！你看都解決了。」在旅程中發生的蠢事鳥事爛事，都是旅程的一部分，不需要自責，也不需要內疚，反正那就只是損失時間跟金錢而已。

其實，我是一個討厭意外的魔羯座，但旅途中，我必須接受各種意外的挑戰，久而久之。旅行教會我，過自己想要的日子，別把各種問題看得太嚴重，能解決都是好問題，不能解決也不需要生氣，接受它，解決它，放下它，意外也可能變成人生精采的插曲。

倘若現在你的航班突然不飛了，我會回：「先連絡保險業務員。」

你的人生大事，不是我的人生大事

我出生在大家族，父親有十二個兄弟姊妹，母親有五個，從小到奶奶、外婆家過節日，就是稱呼不完的親戚：叔叔、叔公、嬸嬸、伯伯、伯母、堂哥、堂姊……。一大家子的人，我老是分不清誰是誰，每個人都知道我，我就是認不得每一個人。

童年時挺喜歡到鄉下過節，一群小孩子會在稻田間穿梭，玩躲貓貓，玩跳格子，玩抓泥鰍，玩各種好玩的遊戲，每次要離開前我都會哭，還想跟大家一起玩。

後來上學念書，長輩們就會比較哪個孩子念書比較好，誰考上了好高中，誰家孩子有出息，誰家孩子當醫生，一連串的比較下來，我都自卑到不敢抬起頭。有些長輩就喜歡拿孩子開玩笑，問一些讓人尷尬的問題，例如：「這次數學考幾分？」「可以考上第一志願嗎？」我回答不出來，也不喜歡被開玩笑，但長輩問話必須回，還不能頂嘴。

10

亞洲 蒙古 / 特勒吉國家公園

長大後更不喜歡過節日，包括各種要跟人團圓的節，例如春節、清明節、中秋節。感覺人跟人之間，每每團圓都是離不開八卦、股票、婚姻跟家族恩怨，嗑著瓜子，聊著是非，見到我就問：「在哪工作？」「薪水多少？」「怎麼還不結婚？」每次回答都很心累，因爲不管回答多少次，下次還是會問同樣的問題。

職場中也不喜歡參加同事聯歡聚會，例如春酒跟尾牙，爲什麼不能只做好工作，上班下班打卡就好了呢？爲什麼總是要一群人在一起喊口號、互相加油打氣，明明工作就很累，下班還要跟同一批人社交應酬。

也不喜歡參加婚禮，不想左右坐著都是不認識的賓客，介紹我是新郎的朋友，還是新娘的朋友，爲什麼會來參加婚禮。席中默默數著上了幾道菜，大概在上第七道菜時就要找藉口離開，這樣就可以躲過婚禮新人敬酒環節，也可以避開大批賓客散場時混亂的畫面，最後拿著印有雙方婚紗照的婚禮小卡小禮物離開，心想這頓飯可吃得眞尷尬。

如果婚禮沒有我，也會照常舉行，如果家族聚會沒有我，還是家族的聚會，如果花相同的時間跟金錢，我寧可一個人去看電影，一個人去吃火鍋，一個人去逛街，一個人做著自己想做的事，也不想陪著一群人，附和著他們的話題。

過了四十歲，年紀小一輪的表妹都生了三個孩子，我的輩分一路從阿姨變成了姨婆，也認爲沒必要再假裝合群，每一個人來到世界上都是獨立的個體，沒有誰失去了誰就會活不下去。

以往過年過節，媽媽都硬要求我回外婆家拜年。

這幾年，她還是會問一下：「明天要回外婆家吃飯嗎？」

我總直說：「不去了。」

以往朋友準備結婚，問我某天某月有空嗎？

我都會先獻上祝福，答應說：「我會去啊！」然後爲了日曆上圈起來的紅日子焦慮到想死。這幾年，直接說恭喜你，並直說：「你的婚禮我不去了。」

畢竟是你的人生大事，不是我的人生大事，畢竟也沒有人會祝福我單身幸福。

倘若現在聚會邀約被拒絕，我會回：「下次有機會再見吧。」

Chapter 4

世界很**複雜**，我可以很**單純**

南美洲 玻利維亞 / 烏尤尼

Why and Try 人生，不試試怎麼知道

這些年偶爾也會到企業跟大學裡去演講，分享關於人生選擇這個課題。我三十歲才開始自助旅行，從窮遊背包客，變成旅行作家、講師，從不被看好、從各種質疑聲中，到現在靠「旅行」、「寫作」生活，的確跟一般人工作軌跡不相同。結束後，台下學生就舉手發問：「老師，我是法律系學生，也有考慮畢業去國外打工度假，又怕回來跟不上這個產業，您認爲呢？」

「去啊！Why not?」我笑著回答。

我告訴台下的觀衆，自己是一個非典型的旅人，也可以說半路出家的旅者，在決定出發前也是充滿坎坷。在台灣傳統家庭中，當你的人生有一個重大決定，例如「結婚」、「離職」、「創業」、「出國」等，只要不符合大衆預期價值，就會出現很多種負面聲浪，大多數都會問你「Why」（爲什麼）。

「為什麼你要這樣做？現在不好嗎？你考慮清楚了嗎？你有想過未來嗎？」

「你有想過你父母嗎？你確定這樣做安全嗎？你眞的確定這樣好嗎？」

這些質疑，不是鼓勵你去勇於挑戰夢想，而是阻止你去改變，並且要你認清現實，最好現在就打消念頭，不要再問為什麼。

相反，在國外旅行時遇見了一些人，你告訴他們未來想做的願望，例如「環遊世界」、「國外創業」、「寫一本書」、「移民到海外」等各種奇想，大多數人會告訴你「Try」（試試看）。

「去做吧！人生只有一次，沒有什麼好考慮的。」

「這是我聽過最棒的願望，希望你可以達成。」

「拜託！你一定要實現它。加油，我知道你可以。」

「嘿！謝謝你告訴我這麼棒的計畫，我超喜歡。」

這些初次碰面的外國人，完全不清楚你的來歷，也不在乎你要怎麼做，只是下意識認為，光聽到這麼棒的想法就熱血沸騰，倘若你能實現它，一定超酷的。

路上慢慢反思，為什麼兩者差距這麼大，因為「民情」不一樣嗎？但似乎不是這樣的，外國旅人在他們的家鄉也是會遇到各種質疑，不過踏出舒適圈後，接觸全新的環境，裡面都是對未來有期待的夢想家，沒有人會希望夢想破滅，當你在支持同類時，同樣也會激勵自己。

路上的自助旅人，每一天醒來都在爲「自己」決定做什麼：幾點起床，幾點去哪裡，下一站安排哪裡。你會去詢問有經驗的旅人，不會因爲前輩的建議去改變方向；會綜合眼前的現實，既定的規劃，曾經的嚮往，在各種建議中作出最好的決定。

所以在國外陌生的環境說出「願望」時，大家會認爲這是你評估的最佳選擇，那爲什麼不鼓勵你去勇敢嘗試，就算失敗又怎樣!?而原來的環境，通常都會有既定的軌道跟模式，當你決定不再在這條軌道繼續努力，身邊的人亦無法給支持跟建議，你既認爲自己不可能做到，別人應該也無法，寧可不看好，也不鼓勵。

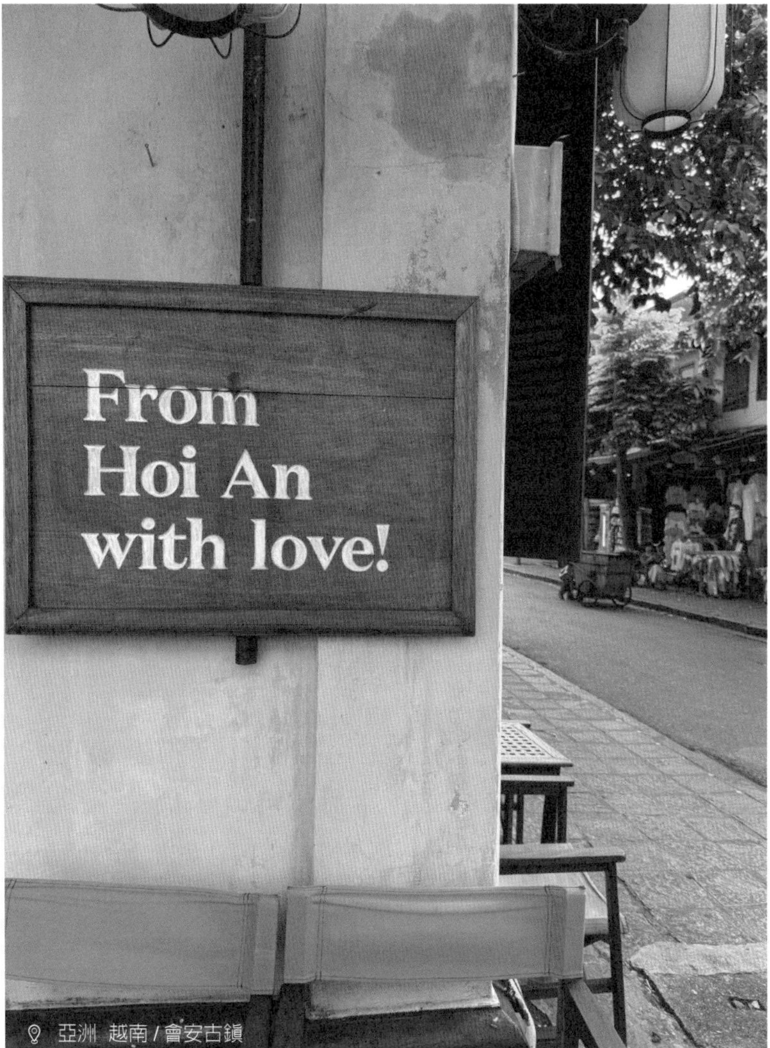

亞洲 越南／會安古鎮

「Why」應該是自己問自己。

「Try」決定了就不害怕後悔。

所以，這些年我都不再詢問他人，這樣做好嗎？往往買了機票，揹了背包，就去陌生地方旅行，抱著這樣的心態持續十年都在做同一件事情：出門，回來，賺錢，再出門。明白沒有人必須活成什麼樣才叫「功成名就」，只要不後悔眼前的決定。

當初，我不是因爲喜歡旅行才去旅行，開啓旅途的起點是爲了「逃避現實」，中間也經歷不斷懷疑自己、挑戰自己，在克服重重阻礙，付出了各種代價後，清楚無論是旅行，還是人生，一路只有逆風，唯有逆風而行，才能成爲眞正的自己。

能在逆境中，還能順受，這不是靠「錢」、「時間」跟「體力」，是靠這幾年歷練出來的心態，如果能鼓舞任何一個在低谷沮喪的人走出來，或者去嘗試夢想，那就是善的循環。

倘若回到過去，我還是會做一樣的決定——「爲自己活一次。」

能簡單，就不要複雜

能徹底破壞人跟人之間情感的，不是「利益」，而是「信任」。能讓人徹底寒心的，是一個人用自以爲是的認知，去操控另外一個人必須該怎麼做。成長的過程中，或多或少都被操控過，也逐漸想操控身邊的人，當雙方目標一致時，矛盾情感會自動消失，但當另外一個人越不受控，一個人堅持時，關係最後就會決裂到非常難看。

這幾年，不斷在經歷人際關係的矛盾拉扯，不清楚是對方改變了，還是自己改變了，只知道原來所謂的人際關係並非永恆不變，也像物品一樣，會舊，會壞，需要定期更新跟淘汰。學會「斷捨離」，學會「課題分離」，當排除複雜的情緒來源，那麼生活中的烏煙瘴氣自然就會消散。

「簡單」成爲我的生活學習目標，定期排除與自身不相干的人事物，並專注在自己所認可的領域中，回首，我身邊也剩下這三種人：

亞洲 中國西藏 / 拉薩布達拉宮

第一種，有利益關係的夥伴

「誰給我錢，誰就是朋友。」用這句話解釋應該一點就通。在相互有利益的基礎下往來，在合約跟契約上規範彼此，在同一條路上相輔相成、成就雙方。

利益關係看似不長久，卻是必要跟實際。就像千里馬找伯樂，能夠互相互利，才能得到雙贏。

第二種，沒有利害關係的朋友

「當你需要，我就義無反顧來幫你。」這句話道盡彼此深厚的友誼，只要雙方有機會跟時間見面，就會排除萬難前往，光是見到對方，就覺得欣喜不已。

即使如此，也不會常常聯絡，偶爾會捎來關懷，還有生活上的點滴。明白，無論相距多遠，轉身，他都會在。

第三種，合得來的血親

「因為你是我的家人，我當然愛你。」人與人之間最難割捨的情感就是親情，雙方的情感從出生後開始，有紛爭，也拉扯，有冷淡，有依賴。

家人是世上最複雜的關係，剪不斷，理還亂，彼此有很深刻的情感，卻也沒有到無法失去對方。

也明白該如何避開讓生活陷入麻煩的三種人物：

第一種，無法控制情感的人

有人活了一輩子，活成沒有道德底線，也沒有人我分界，總把自身的問題到處宣洩，小小的事情就到處嚷嚷，把處理不好的情緒轉嫁他人，彷彿他都沒有問題，有問題的都是別人。

第二種，在小事上糾結的人

每次見面，他張口閉口都是持續抱怨同一件事，你給他的建議，完全充耳不聞，他要的只是討拍、同理心，以及情感認同。倘若你身邊有講了十年換工作、分手、離婚，但都沒做的人，趕快遠離，這種人永遠不知道自己在消耗別人情緒。

第三種，喜歡議論私事的人

一張口就是誰離婚，誰家兒子出事，誰最近賺一筆錢，關注左鄰右舍議題比自身還要多，辦公室每個人的家世背景他什麼都知道，卻從來不說自己的事，以挖別人家務事為樂趣，還會四處以訛傳訛，顛倒黑白。

這幾年退出很多群組，也減少參與小團體，我認為，複雜的人際關係並不會為生活加分，當你沒有時間瞎攪和在他人麻煩中，就有時間跟空間去做任何你想要的事。先短暫切割某些關係，你才知道：「原來有些關係，你根本沒必要繼續維持下去。」

一定年紀，學著不去問別人的職業跟感情，不去探究別人的過往與經歷，因爲不知道，就沒有啥煩惱。

保持一定的距離，就會有一定的美感，

保持適當的溫度，就不會熱臉貼冷屁股，

保持禮貌的微笑，就會充滿美好的濾鏡。

人的熱情應該放在自己身上，還有你嚮往的世界裡。

倘若現在你切割某些關係後陷入無止盡的痛苦，我會回：「時間不夠久，環境不夠遠，去旅行吧！」

於眼前不公平，也不用急著要找出正義

多年前，我獨遊埃及，搭上了從亞斯旺開往盧克索的尼羅河郵輪，郵輪會在不同神廟前碼頭停留，觀光碼頭區一排都是販賣名產紀念品的小販，埃及商人的銷售手法讓人又愛又恨，你永遠不會知道眞實的底價是多少錢，必須透過不斷討價還價，才能用合理的價格買到想要物品。

從康翁波神廟走出來後，還有一點時間逛外面的名產店，一路旅行下來，我對於埃及商人的纏人手法眞的是後怕。他們是專業的騙子，無所不用其極讓你買下挑中的商品。最簡單的手法就是「one dollar」。沿途無數喊叫著「one dollar」，用一塊美金吸引你的注意，然後在成交價時暴漲數十倍。

當你指著商品問「One dollar ?」他馬上說「你喜歡嗎？我們還有很多樣式讓你選擇。」立即從倉庫裡面搬出各種款式讓你挑選，但最後成交價格通常不是「one dollar」。

我非常明白他們的推銷手段，當你挑上某件喜歡的衣服時、他們就會自動將「one dollar」變成「twenty dollars」，重複說著商品做工有多精細，沒辦法賣你太便宜等鬼話連篇。

不過眼前這位油膩又纏人的埃及商人，讓我無法眞正討厭他，他不厭其煩地重複下面這句話「給我一個微笑！請」。我原本就想買一件刺繡的埃及服飾，剛好看到眼前有喜歡，只是問一句，就被抓進去強迫推銷，心裡想：「又掉進去！」

最終選了一件紅色刺繡，幾經思考，不甚喜歡，最後沒打算要買，油膩中年阿叔不停拿其他的給我，我都要翻白眼了。我說了一句不該說的話，「這件多少錢？」事實上，倘若你在路邊攤販議價，只要問了價格，接下來就是無限迴圈的殺價循環，大部分時候我都不太開心，因爲永遠不知道底價是多少。

「這是手工製作的，非常漂亮，一千二百埃及鎊。」

「No！No！No！太貴了。」我直接還給他。

「給我一個微笑，Ok？」

「給我一個你想要的價格？」

我搖頭，依然不要，這價格很不合理，我不需要花時間去買不合理的商品。埃及油膩大叔繼續不放棄，死都不願意拿回他的衣服。

「給我一個微笑，Ok？」

「給我一個你想要的價格？」

我動搖了，其實也沒那麼糟糕，我開了一個自認合理的價格，三百埃及鎊（大約三百台幣）。

「喔！這是手工的，你看多精細啊！我給你八百埃及鎊！只有你有。」我搖頭，繼續把衣服還給他。

「給我一個微笑，Ok？」

「給我一個你想要的價格？不要這樣狠心。」

我堅持三百鎊。他一路降到四百鎊，依然被我無情拒絕，我還給他時，依然表情帶著可愛的微笑，反正我就是只願意出三百埃及鎊買你手上的衣服。我告訴他我要離開，船要開了，掰！臉上仍然掛著微笑。

「拜託，三百五十鎊。」他認真想挽回我這個顧客。

「三百鎊！」我的微笑充滿溫暖。

「喔！你讓我賺五十鎊。這原本就三百鎊啊！」他可憐兮兮。

「Okay！」最後三百五十鎊成交。

離開後的我心想，如果當初我開價是二百鎊，會不會二百五十鎊就成交呢？（笑）

埃及的治安還算好，對觀光客也友善，雖然很愛漫天喊價，實際上，價格也都是便宜到脫褲。旅行中，不乏會遇到煩人的問題，或是纏人的小販，無法預期的情況，我就會降低智商去應對。

如果什麼都要計較，旅途一定難以開心，如果非要什麼都順自己的心意，那不如就待在舒適圈裡面。

以前，我討厭被騙，也害怕被騙，總是小心翼翼防人防己，被多收零頭小錢會悶悶不樂一整天，但隨著年紀，發現人需要鈍感力，不要依賴聰明跟法則，當你不會為小事耿耿於懷，就能找到人生的救贖。

隔日，我也跟尼羅河上船夫拋毛巾買了一條我完全不需要的大披巾，我追求是體

📍非洲 埃及 / 尼羅河

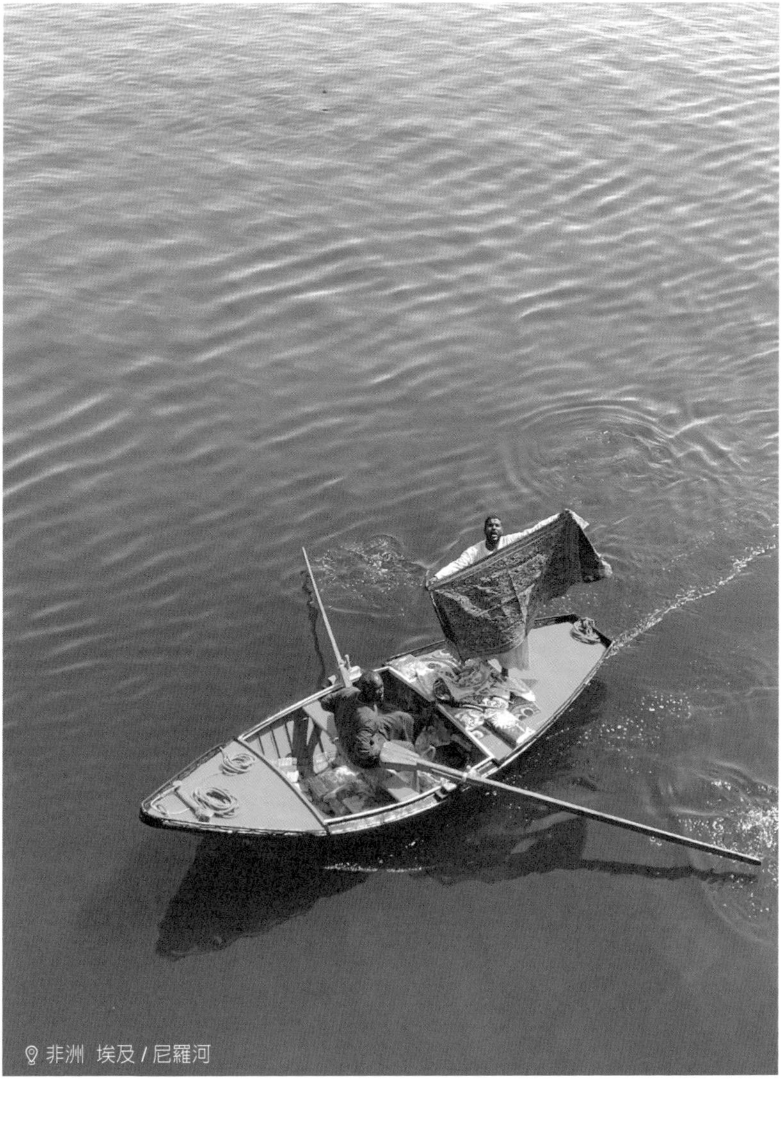

驗，不是購物，還有跟船夫議價的過程。

對於自己喜歡的，就用力去實踐，對於眼前不公平，也不用急著要找出正義，甚至去批評，不同國家、區域都有各自的生存法則，先學會尊重，然後理解，至於你認不認同，都是自己的事，跟別人無關。

倘若現在不小心買了一個不需要的東西，無法退貨，我會摸摸鼻子送給別人，或是丟掉，不會生氣。

記錄，每一次與自己的相遇

不知道從什麼時候習慣，每天在社群媒體打一篇文章，不是幾十個字的心靈雞湯文，而是上百上千字的生活小文章，只要一天不發文，就覺得全身不對勁。

朋友問我說：「如何像你這樣文思泉湧，短時間就可以用手機打出一篇文章，重點還能寫得好？」我聳聳肩：「日積月累的專業素養。」起源很簡單，當年三十出走太轟轟烈烈，心想如果一生只有這麼一次出走，那到老應該會很懷念。

正因爲如此，我下定決心每天都要寫出走日記，想知道一個普通的小資上班族，經歷了國外工作生活一年洗禮，結果會有什麼樣的改變。

於是，在出發之前就創了一個部落格，出發之後就開始記錄海外打工度假的生活，工廠室友在廚房煮飯聊天時，我在房間裡面寫日記；宿舍的同事在客廳開派對跳舞時，我在房間寫日記。下班後，放假時，我總是抱著筆記型電腦，用文字跟照片

4

記錄著周遭發生的一切。寫的是草莓工廠的流水帳，寫的是一群人在廚房煮了什麼料理，也寫在國外找工作的辛酸，還有在異鄉生病感冒時有多無助。

日常是寫作最好的素材，即使沒有人在乎我寫什麼，文章的點閱次數也寥寥無幾，但我不在意，因爲這是我寫給自己的出走禮物。

結束打工度假後，旋即踏上了東南亞的背包窮遊，此時口袋裡盤纏不多，常過著有一餐沒一餐的日子，因爲想省錢，會住在便宜的青年旅館多人宿舍房，也會遇到跟我一樣的窮苦背包客們，討論著彼此的旅程，以及對未來的期望。偶爾會有人陪我走一段旅程，但大多時候都是自己一個人，每天，我會想著接下來要去哪，能去哪，想去哪，不能去哪，然後查機票，查巴士，在地圖上研究很久路線。每天，我都會在臉

亞洲 馬來西亞 / 怡保

書上記錄旅途發生的點點滴滴，與小販對話的過程，追趕火車的瞬間，跟計程車司機吵架的過程。

旁人看我浪跡天涯過得苦不堪言，我卻每天樂在其中，享受人生極度瀟灑自在的感覺，除了窮了點，卻好似擁有全世界。

一天，一天，記錄下旅途中發生點點滴滴，然後就過了十年；十年以來，我就一直重複著，計畫，出發，遇到問題，解決問題，記錄旅途。以前，我會記錄每餐花多少錢，鉅細靡遺記錄吃過什麼，做過什麼，遇見誰，誰又說了什麼，現在，只會記下腦海印象最深刻的。

有次經過馬來西亞怡保老城區的一面牆，我告訴身邊的朋友說：「這面牆我來過，那時候它才剛畫好沒有多久。」

我想起有一年夏天，只是在臉書說要來馬來西亞旅遊，有一個當地女大學生邀請我來怡保旅遊，說可以帶我四處逛逛，於是我就搭著火車來找她，但在這之前完全不認識她，也沒見過她。

她開著車帶我去怡保吃芽菜雞、吃點心、四處拍照，陪我去金馬倫看茶園，然後離開前，做了一張手工卡片給我，我還在火車上流眼淚。爲什麼記憶這麼清楚？因爲寫下過。也正是因爲有這一段機緣，我就想回怡保吃芽菜雞、吃港式點心，因爲嘴巴吃的不只是點心，還有當時背包旅行的回憶。

我的座右銘是「做個有故事的旅人」，透過每一次記錄跟寫作，講述著每一次相遇、別離、挫折與心境轉折，才能清楚，夢想這條路，每一步很踏實，每一個階段的自己，都很精采勇敢。

倘若現在你也想開始擁有不一樣的人生故事，我會回：「去做，總比一直想好，最好有機會寫下來。」

5 人的性命，貓的哈欠

從日喀則回拉薩的路上，司機就將車子停在路邊，導遊肖雄指著遠處正在冒煙的小山丘說：那個就是西藏的天葬。

什麼是天葬？西藏一共有六種藏法，主要分塔葬、火葬、天葬、水葬和土葬與樹葬。天葬在西藏是最普遍的喪葬習俗，也就是把死者的屍體讓天上的禿鷲吃掉。聽起來很可怕，實際很環保，因爲生不帶來，死不帶去，屍體的每一個部分最終都會回歸自然。天葬台爲何會有煙呢？不是燒屍體，而是司葬者用當地作物燃起「桑」煙，吸引遠方的禿鷹飛來啄食。

導遊說，藏人死亡後，會用白布將屍體包裹，停屍一日至數日，請寺廟裡的喇嘛念經超度，擇定日期送葬。送葬期間，家門口懸掛一個紅色陶土罐，土罐內放進食物，供死者的靈魂使用。出殯當天，家屬將屍體送往天葬台，背屍人和送葬者均不得回頭

亞洲 中國西藏 / 日喀則

看，並且在路上把紅陶罐摔破，後交給天葬師處理，家人不得跟到天葬台。

天葬師將屍體放在天葬台上，先以桑煙吸引遠處的禿鷹飛來，在這之前必須讓遺體的骨肉剝離，骨頭是用石頭砸碎，好讓肉身可餵食禿鷹，倘若肉食都被禿鷹吃得乾淨，會視爲吉祥徵兆，若有殘餘，天葬師會將其他部位焚化。當地人認爲天葬符合釋迦牟尼傳記中所說的「割肉餵虎」的精神，死者的靈魂也可以隨鷹昇天，老鷹是空行母的化身，也是菩薩的使者，可以將死者的神識牽引至淨土。

對我來說，西藏是一個很特別的地方，海拔三千公尺以上，空氣比平地稀薄很多，一般遊客抵達時容易引發高山症，少數人呼吸不過來，也可能直接就轉世輪迴。導遊說，藏人的信仰是出生就開始，新生兒的父母將出生將孩子交給喇嘛寺廟，所以藏人的信仰不是從童齡時期，而是出生之後。而藏人最理想的死亡方式，是將屍體放在天葬台上，供禿鷲啄食乾淨，最後將碎骨聚集在一起用火燒。

在西藏旅行，因爲氧氣不足，導遊就告訴你啥都要慢，慢慢說話，慢慢走路，慢慢吃東西。也因爲缺氧，心臟跳的比平常還要勤勞，頭腦必須要調節器官各個部位的機能，在西藏生活，光呼吸都不容易，還有什麼比呼吸還要重要的，原來活著原本就不是容易的事，那爲什麼還要自尋煩惱呢？

藏族人有句俗語說：「人的性命，貓的哈欠。」指的是人生短暫、世事無常，那麼沒有什麼是值得錙銖必較的，沒有比快樂的生活更重要的。對我來說，到西藏，是心靈的修行，在極度艱難的環境，看看別人，想想自己，沒什麼過不去。

死亡，不應該是讓人畏懼害怕，而是必須去理解的。人在死亡之前，所有「離開」、「離職」、「離婚」都只是經過，許多人愛問「爲什麼」，也只是想從別人身上得到勇氣而已，無論別人回答是什麼，都不重要，重要是選擇相信什麼，你的信仰是什麼。

倘若你也想去西藏感受信仰，我會回：「很值得走一回。」

一個人老後的生活

爸爸說，他已經想好老後生活，等到走不動之後，大概就是在療養院或是養老院度過，畢竟他們的那一代，最後好像都是這麼過的，不想麻煩子女，也不想一個人生活。我說好：「到時，有空閒去療養院探望你。」爸爸說，既然你沒有養兒育女，老了也不冀望有人照顧，心理要學會調適，好好安排老後生活，死前才能走得瀟灑。我一臉無奈說：「我又沒有很老！」

6

非洲 納米比亞 / 斯皮茨科普

只是看來這位父親已經認命，女兒將來可能會成為人們口中的孤獨老人，實際上，我的生涯規畫就是朝著一個人生活邁進。

我認為四十歲是一個分水線，想結婚的，想生孩子的女性大部分都會在三十五歲前完成心願，極少人會趕四十五歲末段找到情投意合的另一半。獨自旅行也教會我，過於憂慮也只會讓人停滯不前，認清現實，心態調整，即使面前困難重重，生命自然會有出路，一個人慢慢變老並不可怕與孤獨。

畢竟一輩子很長，倘若總是為了「老後」而擔憂，想多賺點錢，要有房子，要有人陪伴，往往人的眼界，跟不上時代的轉變，也跟不上貨幣通膨的速度，更無法預料意外什麼時候會降臨，心累，老的也更快。

一個人的老後生活該怎麼過呢？我見過許多長輩，幾乎三百六十五天都在吃飯看電視配政治，菜市場聊天配八卦花絮，雖然這些都能打發餘生時光，不過日常作息影響外貌，也影響到應退談吐。身為晚輩的我，往往一踏入那個魔之領域，剛開口，就被指導三觀與立場，讓人退避三舍。

所以，我就盡量避免去拜訪立場相左的長輩，生活中也不存在立場相左的同輩，當然也不會存在立場相左的晚輩。我就找興趣相同的人往來，舊時朋友偶爾聯繫，有些朋友不用特別聯繫，保持空間認識新的朋友，不容許他人刻意干涉我的日常生活。

就算不去旅行，不當作家，我也會找一個興趣當目標，過上充實的生活。倘若不想旅途奔波，就找喜歡的地方待下來，租個幾個月，每天提著菜籃，去上街買菜，回家做飯，下午泡杯咖啡，然後晚上寫些日記，一天就這樣過去了。

現在才四十多歲的我，不會刻意「準備」老後該怎麼生活。既然明白生老病死是人生經過，就要學會接受老去跟死亡，接受生命是短暫，接受人活著家庭、關係的各種不完美，接受揹負在肩膀上的責任，接受一輩子的努力可能都是白費的。也就趁還有體力時，去任何想去的地方，不需要被「老後」綁架，明白理想生活該是什麼模樣。

沒有一定要追尋的眞理與答案，只有先接受現實，接受完整的自己，才能感受到心靈的富足平靜。我接受，日子一天過了一天，不能重來。所以，不想要再等以後，等賺夠了錢，等有了時間，等著等著……我們都老到走不動，才來遺憾當初能去旅行時，怎麼想太遠了。

當我們出生的時後，是一個人，當我們離開人世的時候，應該也是一個人，當我旅行越走越遠的時候，也在想，一個人活著也挺好。

也有人問我：「死後誰來幫你送終？沒人送你，豈不是超可憐的。」我回他，人死了，還有情感可憐嗎？可憐，往往都是活著的人。人活著時，一個人，也可以好好活，好好吃飯，好好旅行，好好工作，好好過日子。我好，這個世界就是好的，有人過得不好，通常都是自己的問題。

倘若現在就開始擔心老年吃不好住不好，我會回：「意外也隨時提前降臨。」

願，我們，進化成更好的人

蔡健雅有首歌叫《進化論》，裡面歌詞是這樣唱的：有過青春，有過被愛，也四處充滿傷痕，有過認眞，有過愛人，還是不懂自己要怎麼做才能擁有最好的人生。

坐在挪威極光小鎮特羅姆瑟的椅子上，朋友笑我是大器晚成的旅人，畢竟一把年紀才開始自助旅行，大多數都是十幾二十歲這般年紀就出發，而我，遲了數十年，卻一發不可收拾，對旅途上了癮，而且沒有盡頭。

老實說，我曾經也有過一段自卑心理的狀態，尤其是開始自助旅行的那幾年。明顯不想告訴別人我的年紀，也不想開口跟別人談論自己的旅行。因爲，去過國家不滿五根手指頭，英文單字無法拼湊成一個句子，連 Reception 都不知道是服務櫃檯，時常迷路。當時，三十多歲的我，名片抬頭是某某經理，也懂得該怎在職場上呼風喚雨、渾水摸魚，而在旅途上卻是什麼都不懂的小透明。

不過，每次旅行，好喜歡坐在一群旅人中間，聽背包客們敘述旅途上的冒險故事。他們走過的每一條路都讓人心生嚮往，他們遇見的人事物都特別有趣，他們眼神有光，總樂於分享，而且並不會詢問你那些尷尬的問題。「工資多少？」「單身嗎？」「準備買房嗎？」「家人沒催婚嗎？」

穿著高跟鞋的我不知道要花多少時間、多少錢、多少力氣才能變成跟他們一樣，但能有一個目標前進眞的很好。

是的，一定年紀，已經放棄在原有職場上努力，不想加班，也不想精進自己。也不想浪費熱情在辦公桌文化，有一度我也想放棄生命。

工作感情雙雙觸礁，我認爲日子再努力，薪水也不會有任何起色，上班再配合其他部門，也只是持續被壓榨的命運。爲了別人著想，旁人也不會對你感激。唯一能讓我覺得活著呼吸的方式，是去旅行，即使只是巷口咖啡廳。

單身的我，總想著一生兜兜轉轉，是為了誰生活？

是家人？是同事？是愛人？還是自己呢？賺了錢，花了錢，卻好像都不是爲了自己，只有一個人旅行，才懂得珍惜自己，時間，還有金錢。你不爲自己活，沒人能爲你活。有人告訴我「旅行，永遠不嫌晚。」但我好怕，因為年紀太大，不知道還有幾年可以這樣折騰。

三十四歲我離職了，三十五歲我睡在機場好幾次，三十六歲我搭著印度的長途列車，還有路途顛簸的山路，三十七歲我帶著家人一起當背包客，三十八歲我在南極旅行，三十九歲一年飛了四十幾趟，四十三歲一個人飛到南美洲旅行。每一趟旅行，都很辛苦，每一次出發，都是進化過程，就像達爾文的進化論，沒有實力就有被淘汰的可能。

人的青春，是有限的，二十幾歲我覺得戀愛很重要，失去了對方我就沒有活下去的理由；三十幾歲我覺得工作成就感很重要，奮鬥到最後還不過就是一條狗，為了錢出賣靈魂跟自尊；四十幾歲我覺得選擇很重要，在有限的時間跟金錢中找回尊嚴跟自信。

那些失去的，不用拚命去挽回，記憶會帶走一切傷痛與遺憾。

學會認真，學會忠誠，學會對下半場誠實，適者才能生存。懂得欣賞，懂得選擇，懂得對自己負責，才能進化更好的人。

我的人生願望就是，能走能吃能玩就好，能把賺來的錢投入下一趟旅行，卻也害怕，心跳就忽然靜止，生命走到盡頭，有好多地方想去，沒辦法去，該怎麼辦。不過越是這樣戰戰兢兢，才會讓自己變成更好的人。

就像《進化論》歌詞裡面寫的：有過競爭，有過犧牲，有過被愛，有過愛人，有過選擇，也沒有選擇，懂得永恆，懂得自私，我們都會變成更好的人，進化成喜歡的人。

倘若現在啥都不做，以後會變成什麼樣的人，我會回：「同樣的人。」

歐洲　挪威 / 特羅姆瑟

8 最終都是交錯的陌生人

女孩認真問我：「要怎麼才能做到像你這樣到處旅行呢？」我說：「你要先投資自己。」坐在義大利米蘭恩寵聖母大教堂前，我如實向完全不認識的台灣女生一路分享當旅遊網紅的心得，幾乎大半陌生的人知道我是旅遊部落客後，都會問我類似的問題：你是怎麼辭掉工作？怎麼不靠上班賺錢？如何持續做自己想做的事？

我說，我也不是一開始旅行就變成旅遊部落客，是透過不斷的分享、經營以及選擇，才有了現在的成績。倘若你決定要走這條路，先努力成爲喜歡旅行的自己，之後才能慢慢把日子過成喜歡的生活。

在米蘭旅行的兩天，遇見了三組人。第一個是來自佛羅倫斯的老先生，一早我決定先從斯福爾札古堡爲起點，迎面而來就是手環黨成員，他們好意要給你祝福，實際上是訛詐，我沈著臉說「不」，表情充滿厭惡，這群人就不敢接近我。

逛到中庭迴廊時，一位歐洲老先生慢慢走向我，對我說：「這中庭很美吧！」我說：「是的。」然後他就自我介紹，他來自佛羅倫斯，英文沒有很好。我大笑：「我英文也不好！」他問我有進去城堡嗎？我搖搖頭。義大利景點門票都不便宜，只挑有興趣的進去，於是他便跟我說著古堡的歷史以及米蘭的前世今生。這個部分我還是挺有興趣的，而且他講得眞的很生動。

結束後我要走到和平之門，他似乎還想繼續當我的免費導覽員，不過被我拒絕。事實上，亞洲女性在歐洲景區旅行，眞的很容易被搭訕，以前會很害怕，但我後來發現，並不是每個接近你的人都是壞人，不用猜測別人的用意，因爲離開後，你們又是陌生人了。

第二組就是問我如何當網紅的台灣女孩，下午我預約達文西《最後的晚餐》教堂壁畫參觀，剛好想要拍照，聽見兩個女生口音很台灣，於是趨前：「不好意思，台灣人嗎？」她們點頭。「可以幫我拍照嗎？我一個人。」於是女孩就用熟練的手法幫我拍照。

拍完，兩個人讓出座位，然後就上演文章開頭相遇的情節，我侃侃而談怎麼從一個上班族變成自由工作者。我認爲，許多人熱愛旅行，但不見得願意分享旅途，也沒辦法將實用的資訊轉換給其他人，分享是無價，知識卻是有價。首先你必須先投資自己，去累積自身的價值，有一天，價值會變成實際金錢的來源。

然後我拿出手機說：「互加 Line 吧！」女孩訝異說：「可以嗎？」我說：「不然我怎麼把好吃的餐廳推給你！」於是貼了冰淇淋店、吃到飽酒吧、便宜咖啡店的 Google Map 給她們，補了一句：有什麼問題再跟我說！

第三個人是青年旅館隔壁房間的室友，剛到米蘭旅館辦理入住，後面一個聲音：「請問你是雪兒嗎？我在社交媒體好像有看到你在米蘭。」我點頭：「我是啊！」她說趁著年假一個人來義大利旅行兩週，我就直接跟她約了一間吃到飽的餐酒館。事實上，我在國外約陌生人吃飯已經得心應手，一頓飯而已，抱持著萍水相逢就是緣的心態，既然不期而遇，那就讓相遇變得有意義，倘若聊不下去就直接結束回合，反正之後也不會見面。

吃飯時我跟她分享碰到的老爺爺跟台灣女孩的故事，不知不覺聊到彼此都是內向討好型人格，莫名有喜歡照顧別人的衝動，卻總是被「自我中心」的人傷到遍體鱗傷。

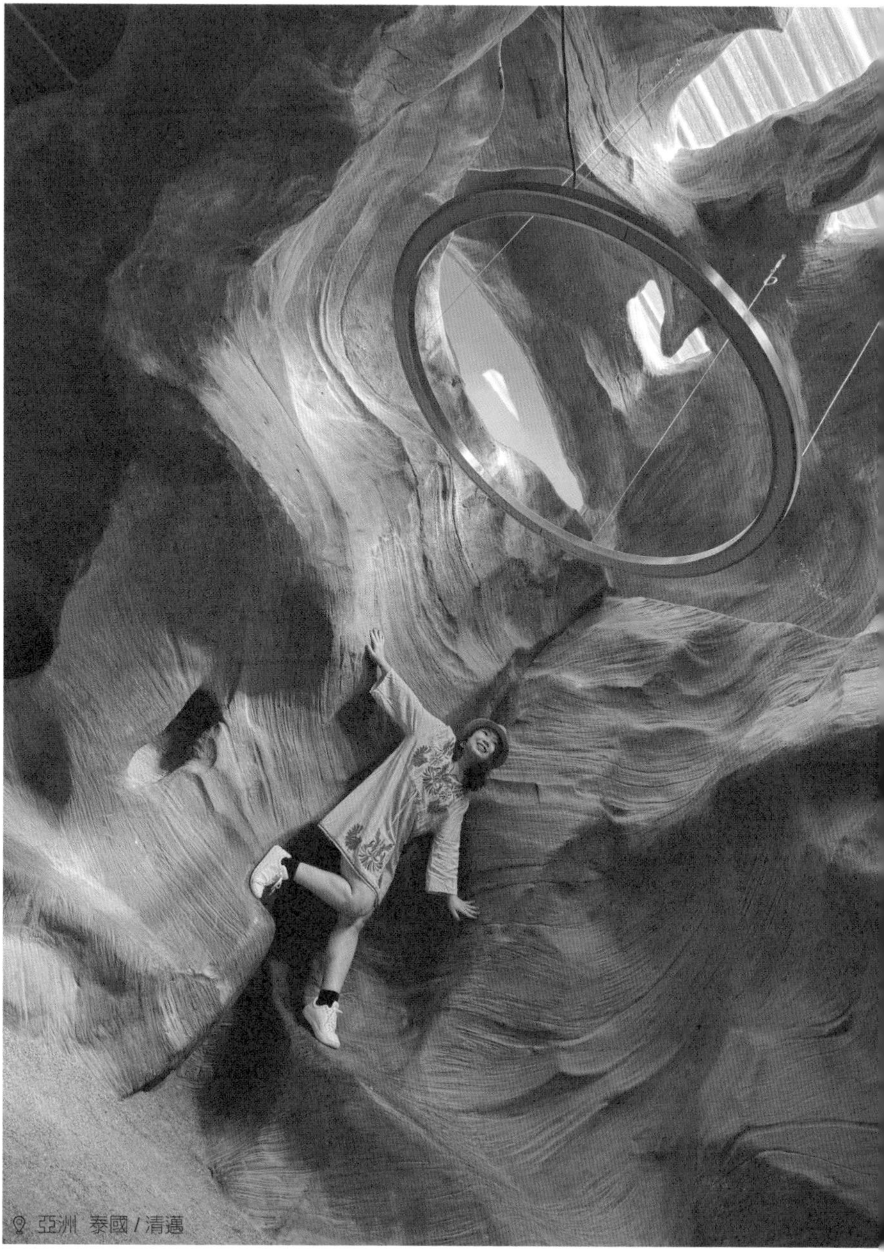

亞洲 泰國／清邁

女孩很羨慕我能侃侃而談自己的經歷，包括感情觀，我說：「這是需要訓練的，一段自我的旅程，最終你只能面對自己內心的聲音。」

曾經我也有偶包，害怕別人的關注，更不喜歡別人批評的聲音，然後我告訴女孩：「網紅啊！這口飯，就是必須面對四面八方各種眼光跟聲音，所以只能被動接受別人議論，盡量不去在意他們。只要不礙到我，就睜一隻眼閉一隻眼。但如果污衊、造謠我就會封鎖刪除跟捍衛自己的名譽。」

或許是年齡接近，或許是個性相仿，兩人聊得非常投緣，結束後還一路邊走邊笑回旅館，並在大廳門口互道晚安，我給她了一個擁抱。也知道明天離開後，我就會忘記她的名字，以及她的長相。

以前我會想要留住身邊的緣分，並緊緊的抓在手心裡，三不五時的關心問候，期待能成為別人心中的一道陽光。但經歷了多次分分合合，明白生命本就無償，沒有任何命中註定的遇見，大多數人，最終都是交錯的陌生人。

倘若現在你約我單獨出來吃飯，我會回：「沒時間。」但在國外偶然遇到，又是不一樣的情況了。

孝順跟自私，我選擇自私的孝順

有日，粉專私訊來了一封信件，起因是父母不良於行，需有長時間照顧陪伴，而兄弟手足只顧自己，想問我關於自我與自私的差異。

我回他：「人活著還是自私一點好，不是眞的自私自利，而是不要陷入他人的情緒循環。」

擁有一定年紀，看過不少人因背負著「孝順」兩字，一輩子過得身不由己，親人之間無止境的情感勒索，從小以愛爲名的實際控制，成長過程中互相拉扯，當彼此間矛盾越來越多，誤會越來越深，溝通越來越少，最終就變成了一場災難互相撕裂。講起家人兩個字就搖頭，怨嘆長大之後就沒有家，父母尚在，卻也不知道回家的路在哪。

也聽過父母一輩子悉心教養孩子，將畢生金錢心力都奉獻在孩子教育跟未來上，

9

歐洲 塞爾維亞 / 貝爾格勒

老年後被遺棄安養院，或是背負著孩子的債務而活，活到了七老八十還沒辦法退休。

家家有本難念的經，每家每戶都有不同必須要面對的問題。家人關係這題，不管是任何心理權威專家都是無解。所有的牽扯都不只是表面看見的是與非，是數十年累積下來的糾葛恩怨，外人單看某一層，評斷某一層，其實每一層裡面，還有更多層，正如一句俗語所說，清官難斷家務事。

旁人的家庭問題，不管你給出任何答案，都不會是最好的，

自己的家庭問題，也是一樣。

倘若都是從自身看待所有的問題本源，就會找到合適自己的答案。只能說每個人都是獨立的個體，血液跟親情的牽絆，不代表就能限制他人的自由與自我。每個人都有自己的選擇跟想法，每個家庭都有上萬種面貌，接受他，而不是控制他。

許多人際關係的衝突來源，都是逼迫對方「接受」，

唯有接受，才有溝通，沒有接受，就是無解。

有次聚會，朋友問：「你是不是很討厭別人說你好命？」我說：「是。」因爲別人看見的好命，不自覺抱著羨慕嫉妒恨，嘴裡莫名就吃了酸梅片，吐出來的話總酸個

不行。

曾經我跟家人之間也處於劍拔弩張的狀態下，將近十年，內心怨恨是一種解不開的心結，低潮時，我甚至把人生的失敗都歸咎在父母身上，都是他們過於保護，讓我根本無法眞正做我想要的事，倘若這一生渾渾噩噩，也是他們造成。

爲了向父母證明，我努力存錢出國圓夢，爲了能繼續旅行，在國外三餐吃吐司、吃泡麵。我也是花了很多年才眞正跟父母關係達到和解，他們接受了我的任性妄爲，而我也體諒他們的擔心惶恐。但還是常常聽到背地裡有人說，你出國都是爸媽出的錢，不然哪來這麼多錢出國，能有現在成就，你必須要好好感謝父母，心想：「關你啥事！。」

以前討厭親戚說我好命，爸媽都會讓你上好的學校，也討厭同事說我住家裡眞好，不用花租屋的錢，最討厭旁人明面上說你好，背地裡損你「什麼都不行」。好似你現在所擁有的一切，都不是你自己努力來的，好似父母沒付錢讓你上大學，你怎麼會有今天。

人跟人之間，親人跟親人之間，很多時候，最大的煩惱其實是想控制他人。

所以一直感謝當年自己的「堅持」，父母的「放棄」，才有現在的我。倘若人都不先為自己想，都只為別人想，最後就會落到，你啥都不是的境地。

人生主打一個經過，路過，走過，不隨便爲了討厭的人浪費情緒跟時間。面對各種提問，逐漸學會克制情緒，不要隨時感同身受，對號入座，才不會招惹是非，陷於各種混亂中。

倘若現在你問我該不該帶爸媽去旅行，我會回：「這是你家私事。」

五十歲後一個人住，一個人生活

以前，我覺得長久的陪伴才是幸福的，然而這個世界根本沒有所謂「長長久久」，即使最愛的人，也會經歷生老病死四個階段，這些年保持單身的我，認清不婚不生的將來，即使孤單，也不隨便找人擁抱，也思考著父母年邁老去後，接下來該怎麼獨自生活。

有次在北歐旅行，認識了住在馬來西亞檳城的阿姨，她說下次有機會可以去住她家，會帶我去吃當地好的特色料理。於是趁著去馬來西亞工作的空檔，從吉隆坡搭了巴士來到她家。

五十幾歲的她，一個人住在海邊的公寓，客廳地板一塵不染，家具跟沙發簡潔俐落，打開門前客廳跟窗外就可以看到湛藍的大海，廚房則面著翠綠的山景，依山背海非常愜意，在炎熱的檳城喬治市，打開窗戶就有清涼的海風吹進來，不需要開冷氣也

10

亞洲 台灣 / 桃園中正機場

很舒適。

阿姨說她以前都在國外工作，去過台灣、英國、新加坡，這幾年回到馬來西亞買了這間房，幾年後又賣掉一輛車。現在，家裡沒有電視，也不需要看電視，外出都搭公車，有朋友來訪時就出去附近的美食中心，獨身時就自己去菜市場買東西回來煮食，幾天不說話也是正常的。

我問阿姨：「一個人住不無聊嗎？」

她說：「我很忙的，要買菜，每天都要想三餐吃什麼。」

阿姨通常七八點就早起，晚上十點前就入眠，每天生活都很規律，她說這樣的日子很愜意，不會覺得無聊，偶爾住在附近的姊姊會來串門子，載她去郊區爬山，或是去喝咖啡聊天。她很少主動找別人，大部分都是別人來找她。

我告訴她，或許哪天我也活成像你這樣。

年輕時，總是會被長輩恐嚇，再不找另外一半恐怕會孤獨終老，但孤獨真的是不好的嗎？終老難道必須要有伴？以前長輩還會想幫我安排相親對象，介紹隔壁巷子沒結婚的單身漢吃個飯，都被我逐一拒絕。幾年後，鄰居長輩也完全放棄幫我張羅婚事，爸媽也認清女兒就是嫁不出去的。

現在，我想飛哪裡，就飛哪裡，想去哪裡，也不需要特別報備，即使去一些稀奇古怪的國家，也不會被質疑「那裡很危險，不要去」。

過了一定年齡後，沒有任何找人做伴的念想，已經不像年輕時，周遭有很多合適的對象，在經歷各種情感內耗後，會有寧缺勿濫的心態。畢竟談感情，你要先認識一個人，還要想辦法變得親近，產生信任後，還要試著融入對方的家庭，跟陌生的一群人建立感情。想到必須經歷的磨合期，愛意的火苗還沒開始，就想轉身離去。中年的我太難相處，也不想退讓，更無法委屈。重新跟一個人建立信任，跟一家人建立情感，眞不是吃過幾頓飯就能確定可以耽誤彼此終生，與其在燈光美氣氛佳的餐廳談情說愛，我更喜歡跟人討論機票、行程跟世界祕境。

阿姨很認眞告訴我，從來沒有鼓勵別人學她單身，戀愛、單身、婚姻都是有好的跟壞的一面，只是看你選擇哪一個，沒有最佳的答案，就只有當下感覺合適不合適。

我笑著點頭，說四十歲後沒有後悔的本錢，但能決定下半輩子要過怎樣的生活，還是挺幸福的。

不生孩子，就不生，不想戀愛，就不奢求，五十歲後考慮一個人住，或許搬到泰國清邁，或許搬去京都，或許就在花蓮海邊。心若不安穩，哪裡都是流浪，與其執著找個地方停下，不如隨心隨意的窩在每一處，餘生安穩過上每一天。

倘若以後你碰見了一個適合的人會選擇在一起嗎？我會回：「彼此的幸運。」

亞洲 台灣 / 苗栗雲霧灣灣

VU00268

何必討好，反正我也不喜歡你

作　　者　謝雪文（雪兒 Cher）
主　　編　林潔欣
企劃主任　王綾翊
封面設計　江儀玲
內頁設計　徐思文

總 編 輯　梁芳春
董 事 長　趙政岷
出 版 者　時報文化出版企業股份有限公司
一〇八〇一九　臺北市和平西路三段二四〇號三樓
發行專線　（〇二）二三〇六—六八四二
讀者服務專線　〇八〇〇—二三一—七〇五・
（〇二）二三〇四—七一〇三
讀者服務傳真　（〇二）二三〇四—六八五八
郵撥　一九三四四七二四　時報文化出版公司
信箱　一〇八九九臺北華江橋郵局第九九信箱
時報悅讀網　http://www.readingtimes.com.tw
法律顧問　理律法律事務所　陳長文律師、李念祖律師
印　　刷　勁達印刷股份有限公司
一版一刷　二〇二四年九月二十七日
定　　價　新臺幣三百八十元

時報文化出版公司成立於一九七五年，並於一九九九年股票上櫃公開發行，於二〇〇八年脫離中時集團非屬旺中，以「尊重智慧與創意的文化事業」爲信念。

何必討好，反正我也不喜歡你 / 謝雪文 (雪兒 Cher) 文 . -- 一版 . -- 臺北市 : 時報文化出版企業股份有限公司 , 2024.09
ISBN 978-626-396-664-2(平裝)
1.CST: 人際關係 2.CST: 自我實現
177.3　　113011864

ISBN 978-626-396-664-2
Printed in Taiwan